THÉOPHILE-ALEXANDRE STEINLEN

Katzen

BEGLEITET VON ERZÄHLUNGEN UND
GEDICHTEN NAMHAFTER AUTOREN

Von Katzen

THEODOR STORM

Vergangnen Maitag brachte meine Katze
Zur Welt sechs allerliebste kleine Kätzchen,
Maikätzchen, alle weiß mit schwarzen Schwänzchen.
Fürwahr, es war ein zierlich Wochenbettchen!

Die Köchin aber, Köchinnen sind grausam,
Und Menschlichkeit wächst nicht in einer Küche –
Die wollte von den sechsen fünf ertränken,
Fünf weiße, schwarzgeschwänzte Maienkätzchen
Ermorden wollte dies verruchte Weib.

Ich half ihr heim! – Der Himmel segne
Mir meine Menschlichkeit! Die lieben Kätzchen,
Sie wuchsen auf und schritten binnen kurzem
Erhobnen Schwanzes über Hof und Herd;
Ja, wie die Köchin auch ingrimmig drein sah,
Sie wuchsen auf, und nachts vor ihrem Fenster
Probierten sie die allerliebsten Stimmchen.

Ich aber, wie ich sie so wachsen sahe,
Ich preis mich selbst und meine Menschlichkeit.

Ein Jahr ist um, und Katzen sind die Kätzchen,
Und Maitag ist's! – Wie soll ich es beschreiben,
Das Schauspiel, das sich jetzt vor mir entfaltet!
Mein ganzes Haus, vom Keller bis zum Giebel,
Ein jeder Winkel ist ein Wochenbettchen!
Hier liegt das eine, dort das andre Kätzchen,
In Schränken, Körben, unter Tisch und Treppen,
Die Alte gar – nein, es ist unaussprechlich,
Liegt in der Köchin jungfräulichem Bette!

Und jede, von den sieben Katzen
Hat sieben, denkt euch! sieben junge Kätzchen,
Maikätzchen, alle weiß mit schwarzem Schwänzchen!
Die Köchin rast, ich kann der blinden Wut
Nicht Schranken setzen dieses Frauenzimmers;
Ersäufen will sie alle neunundvierzig!

Mir selber, ach, mir läuft der Kopf davon –
O Menschlichkeit, wie soll ich dich bewahren!
Was fang ich an mit sechsundfünfzig Katzen! –

Rätselvolle Katze

CHARLES BAUDELAIRE

In meinem Hirn, als wär's ihr eigner Raum,
Schleicht auf und nieder auf der weichen Tatze
Geschmeidig sanft die schöne, stolze Katze.
Und ihrer Stimme Tun vernimmt man kaum.

So zart und heimlich ist ihr leis' Miauen.
Und ob sie zärtlich, ob sie grollend rief,
Stets ist der Klang verhalten, reich und tief
Und Zauber weckend und geheimes Grauen.

Die Stimme, die schwere Perle sank
In meines Wesens dunkle Gründe nieder,
Erfüllt mich wie der Klang der alten Lieder,
Berauscht mich wie ein heißer Liebestrank.

Sie schläfert ein die grausamsten Verbrechen,
Verzückung ruht in ihr. Kein Wort tut not,
Doch alle Töne stehn ihr zu Gebot
Und alle Sprachen, die die Menschen sprechen.

Auf meiner Seele Saitenspiel ließ nie
Ein andrer Bogen so voll Glut und Leben
Die feinsten Saiten schwingen und erbeben,
Kein anderer so königlich wie sie.

Wie deine Stimme, rätselvolles Wesen,
Seltsame Katze, engelsgleiches Tier,
Denn alles, Welt und Himmel, ruht in ihr,
Voll Harmonie, holdselig und erlesen.

Wie heißen die Katzen

THOMAS STEARNS ELIOT

Wie heißen die Katzen? gehört zu den kniffligsten Fragen
Und nicht in die Rätselecke für jumperstrickende Damen.
Ich darf Ihnen, ganz im Vertrauen, sagen:
Eine jede Katze hat drei verschiedene Namen.

Zunächst den Namen für Hausgebrauch und Familie,
Wie Paul oder Moritz (in ungefähr diesem Rahmen),
Oder Max oder Peter oder auch Petersilie
Kurz, lauter vernünft'ge, alltägliche Namen.

Oder, hübscher noch, Murr oder Fangemaus
Oder auch, nach den Mustern aus klassischen Dramen:
Iphigenie, Orest oder Menelaus
Also immer noch ziemlich vernünft'ge, alltägliche Namen.

Doch nun zu dem nächsten Namen, dem zweiten:
Den muss man besonders und anders entwickeln.
Sonst könnten die Katzen nicht königlich schreiten,
Noch gar mit erhobenem Schwanz perpendikeln.

Zu solchen Namen zählt beispielsweise
Schnurroaster, Tatzitus, Katzastrophal,
Kralline, Nick Kater und Kratzeleise
Und jeden der Namen gibt's nur einmal.

Doch schließlich hat jede noch einen dritten!
Ihn kennt nur die Katze und gibt ihn nicht preis.
Da nützt kein Scharfsinn, da hilft kein Bitten.
Sie bleibt die einzige, die ihn weiß.

Sooft sie versunken, versonnen und
Verträumt vor sich hinstarrt, ihr Herren und Damen,
Hat's immer und immer den gleichen Grund:
Dann denkt sie und denkt sie an diesen Namen

Den unaussprechlichen, unausgesprochenen,
Den ausgesprochenen unaussprechlichen,
Geheimnisvoll dritten Namen.

Die Katze, das unbekannte Wesen

ALFRED BREHM

Zuerst will ich von der Mutterliebe der Katze gegenüber fremden Kindern erzählen. Eines Tages fand ich ein kleines miauendes Kätzchen mitten im Feld. Hungrig war es, furchtsam und müde, dabei sehr scheu und wild. Ich fing es mit Hilfe meines Dachshundes, der mir das Tierchen stellte, brachte es nach Hause und pflegte es nach Kräften. Miezchen gedieh vorzüglich, spielte bald eine Rolle im Haus und begann, noch nicht einmal halbwüchsig, die Jagd auf Mäuse und Ratten, von denen es damals in meinem Haus wimmelte. Hiermit gewann es unsere Zuneigung. Wir Kinder ärgerten es wenigstens kaum und nahmen es abends regelmäßig mit ins Bett. Weder Falschheit zeigte es noch Tücke, ließ sich gut erziehen und wurde schließlich dahin gebracht, daß es weder naschte noch unseren Stubenvögeln zu Leibe rückte, obwohl sein Jägertalent mit der Zeit immer mehr zunahm. Im nächsten Jahr warf die nun erwachsene Katze zum erstenmal

Junge. Wir nahmen ihr diese bis auf zwei gestreifte, sogenannte Zyper, ab, die sie mit der größten Hingabe pflegte. Da brachte man uns drei noch blinde Eichhörnchen, die von uns großgezogen werden sollten. Trotz aller Sorge und Pflege starben sehr bald zwei davon, und wir mußten fürchten, auch das dritte zu verlieren. In dieser Not kam uns der Gedanke, der hilflosen Waise die säugende Mutter zu geben. Die Katze war das, und sie erfüllte das in sie gesetzte Vertrauen ganz. Mit Zärtlichkeit nahm sie das fremde Kind unter ihre eigenen auf, leckte, wärmte und nährte es aufs beste und behandelte es von Anfang an mit wahrhaft mütterlicher Hingebung. Das sonderbare Kleeblatt gedieh ausgezeichnet. Die Kätzchen wurden entwöhnt und weggegeben; das Eichhörnchen aber blieb bei seiner Pflegemutter. Nunmehr schien diese das reizende Geschöpf mit dreifacher Liebe zu betrachten. Es war unmöglich ein innigeres Verhältnis denkbar. Die Mutter rief nach Katzenart, Hörnchen antwortete mit Knurren, und beide verstanden einander.

Das hübscheste Schauspiel gewährten sie, wenn die Katze das Pflegekind spazierenführte. Leicht und anmutig schritt

die Mutter voran, schwerfällig humpelte das Eichhörnchen hintendrein. Jeden Augenblick sah sich Miez nach dem Kleinen um; blieb es zurück, so rief sie es durch Miauen heran, schien es müde, so blieb sie geraume Zeit mit ihm stehen. Nun sollte das Eichhörnchen unterrichtet werden. Die Sache ging auffallend leicht, wenn die Mutter eine natürliche Begabung ihres Pflegekindes erproben und ausbilden wollte, schwer, wenn sie diesem alle Kunststücke des Katzengeschlechtes beizubringen versuchte. Mit wahrhaft komischer Überraschung bemerkte die Lehrerin, daß ihr Zögling der Anleitung zum Klettern und der notwendigen Warnungen dabei gar nicht bedurfte, sondern von selbst schon diese Kunst ausgezeichnet beherrschte. Mit Verwunderung mußte sie dagegen erfahren, daß alle geschickt auf die Erregung der Fanglust gerichteten Schwanzbewegungen auf den Zögling gar keinen Eindruck machten.

Als die Katze ihr Pflegekind zum erstenmal über einen hohen und schmalen Steg nach dem jenseitigen Ufer unseres Dorfbaches führte, schritt sie mit größter Vorsicht und unter fortwährendem Zurufen voran; das Eichhörnchen war aber eher am anderen Ufer als seine Führerin und wurde deshalb von dieser sehr geliebkost. Später kam es oft vor, daß bei den Spaziergängen der nach und nach kühner werdende Pflegling in den Bäumen von Krone zu Krone dahinlief, während die Mutter am Boden dahinging. Bisweilen kletterte sie ihm auch wohl bewunderungsvoll nach, setzte sich still auf einen Ast und beobachtete mit Mutterlust und einiger Angst die kühnen Sprünge des bald auf den Bäumen heimischen Zöglings. Dieser gehorchte seiner Pflegerin musterhaft. Sie tat ihm ebensoviel zu Willen wie alle Katzen ihren Kindern, brauchte aber, wenn sie Gehorsam verlangte, nur ein einziges Mal zu rufen, um des gewünschten Erfolges sicher zu sein. Ein Oberförster erzählt auch von einem Hasen, der von einer Katze großgezogen wurde.

Mit dem Menschen lebt eine Katze immer in treuer Freundschaft, sobald sie von ihm ordentlich behandelt wird. Normalerweise bringt sie ihm nicht so viel Anhänglichkeit entgegen wie der Hund; wo man ihr aber dieselbe Sorgfalt und Liebe entgegenbringt wie diesem, wird auch ihre Anhänglichkeit an den Herrn nicht gegenüber der eines Hundes zurückstehen. Ein Hund, der sich selbst überlassen bleibt, ist ein pöbelhaftes

Vieh. Ich habe das hundertfach in Ägypten gesehen, wo sich niemand der halbwild herumlaufenden Köter annimmt. Sie werden flegelhaft, tückisch, mißtrauisch und scheu.

Die Katzen unseres Hauses sind von jeher sehr freundschaftlich von uns behandelt worden und bewiesen uns immer wieder ihre große Zuneigung und Anhänglichkeit. Zum Entsetzen der Frauen unseres Hauses tragen sie regelmäßig ihre frisch erlegte Beute uns vor Augen und verzehren sie erst, wenn sie für ihre Tüchtigkeit und Geschicklichkeit gelobt wurden.

Als Junge kannte ich zwei Katzen, die nicht nur gegen Bekannte, sondern auch gegen Fremde sehr artig waren. Hatten wir Kinder sie liebkost, so begleiteten sie uns abends nach Hause. Wir hatten zwar eine halbe Stunde weit zu gehen, doch schien ihnen der Weg nicht zu lang zu sein; nie eher als vor unserem Haus nahmen sie von uns Abschied.

Mein Freund Schach teilte mir einmal folgende Geschichte mit: »Als ich noch im väterlichen Haus weilte, hatte ich ein inniges Freunschaftsverhältnis mit unserer alten Hauskatze, einem prachtvollen Zyper. Riese, so hatten wir Kinder sie ihrer ansehnlichen Körpergröße wegen genannt, fühlte sich in hohem Grad zu mir hingezogen. Sie war meine Nachbarin bei Tisch wie meine Schlafgenossin, und selbst in gereiztem Zustand, wenn sie heftig mit dem Schwanze hin und her

peitschte, vermochte sie niemand leichter zu beruhigen als ich. Nie ging ich in den Wald, ohne daß sie mich begleitete. In meiner Abwesenheit schien sie sich zu langweilen, und war ich zu lange ihrer Gesellschaft entzogen, so ging sie allein in den Wald, wohl in der Hoffnung, mich dort zu treffen. Gewöhnlich erwartete sie meine Ankunft und kehrte dann mit mir zusammen nach Hause zurück. Dabei war sie sehr neugierig, und alles fesselte ihre Aufmerksamkeit. Bog ich heimlich auf einen Seitenweg ein, so war sie meist binnen kurzem auf meiner Fährte und nahm, nachdem sie mich sorgfältig berochen und geleckt hatte, ruhig neben mir Platz, bis ich mich zum Weitergehen anschickte.

Als ich im Jahre 1834 auf ein zwei Stunden von meiner Heimat entferntes Privatseminar zog, war Riese auch dahin mein Begleiter und weilte hier während meiner ganzen Studienzeit, dreieinhalb Jahre lang. Hier machte ich eine höchst anziehende Beobachtung. Riese war Mutter geworden und pflegte zwei reizende Kinderchen. Da widerfuhr ihr das Unglück, eingefangen und von den noch unbehilflichen Kleinen getrennt zu werden. Ich konnte die Kätzchen unmöglich umkommen lassen und sann auf Rettung. In der Nachbarschaft hatte ebenfalls eine Katze geworfen, war aber ihrer Jungen beraubt worden. Sie wurde als Pflegemutter gewonnen. Bereitwillig unterzog sie sich der Pflege der Stiefkinder, säugte, leckte

und reinigte sie aufs beste. Eines schönen Tages aber kam die rechtmäßige Mutter zurück. Riese war der Gefangenschaft entflohen und schnurstracks heimgeeilt. Ich brachte sie zur Pflegerin ihrer Kinder. Erfreut schnurrend und rufend eilte sie herbei und legte sich neben diese und ihre Kinder ins Körbchen, um auch ihrerseits die Pflichten der Mutter zu übernehmen. Von nun an wurden die Kätzchen von beiden Müttern gesäugt, gepflegt und erzogen. Bald war die eine, bald die andere bei den Kleinen, bei Gefahr aber vereinigten sich beide zu wütender Gegenwehr. Ein Fleischerhund, der in Begleitung seines Herrn arglos auf den Hof gekommen war, in dem sich gerade beide Katzen mit ihrer Schar tummelten, wurde von den besorgten Müttern mit solcher Wut angefallen, daß er fast das Augenlicht eingebüßt hätte und schleunigst das Weite suchte.

Nach meiner Studienzeit zog ich mit Riese in die Heimat zurück. Später habe ich das treffliche Tier allerdings aus den Augen verloren, da wir uns auf immer trennen mußten. In meinem jetzigen Wohnort hatte ich Gelegenheit zu ähnlichen Beobachtungen. Ich zog mir eine Katze, die nicht allein eine wahre Schönheit, sondern auch ein Muster an Reinlichkeit und gutem Benehmen war. Die ganze Nachbarschaft liebte das Tier und schenkte ihm oft Milch. Oft begleitete es mich

in den Wald und saß dann stundenlang, weit von der Wohnung entfernt, witternd und spähend am Rande des Weges, den ich zurückkommen mußte. Um Mitternacht heimkehrend, vernahm ich dann mitten im Wald ihre Stimme, und mit einem einzigen Satz saß sie auf meiner Schulter. Nicht ein einziges Mal war es nötig, die Katze zu strafen. Es hätte wohl auch seinen Zweck verfehlt, denn das Tier erwies sich schon gegen jedes harte Wort empfindlich und mied nach einem solchen sogleich meine Wohnung.

Diese Katze übernahm gern die Pflege anderer Tiere. Einmal zog sie einen ganzen Wurf junger Füchse auf und trug den Welpen, als sie feste Nahrung annehmen konnten, fleißig Ratten und Mäuse zu. Eines an diesem Tier ist bis heute unerklärlich geblieben. Sie hatte in ihren letzten Jahren ein junges Kätzchen zur Welt gebracht, das sie anfangs zärtlich liebte und mit dem sie manche Stunde verspielte. Plötzlich aber verwandelte sich diese Liebe in unauslöschlichen Haß. So sehr sich auch die Tochter bemühte, die Zuneigung der Mutter zu erhalten, stets knurrte und drohte sie. Zuletzt wurde die junge Katze der eigenen Mutter förmlich zum Abscheu. Es wurde so schlimm, daß ich die Alte – von dem Kätzchen wollte ich mich nicht trennen – zu einer Nachbarsfamilie in Pflege gab. Sie blieb dort bis zu ihrem Tode und besuchte mich täglich. Ich hatte sie vierzehn Jahre lang.«

Die Katzen und der Hausherr

MAGNUS GOTTFRIED LICHTWER

Murner, eine Cyperkatze, gab unlängst den Gildeschmaus,
Und er sahe sich zum Platze eines Bürgers Wohnung aus.
Mensch und Tiere schliefen fest, selbst der Hausprophete schwieg:
Als ein Schwarm geschwänzter Gäste von den nächsten Dächern Stieg.
Murner kömmt, Sie zu begrüßen, führt sie drauf in einen Saal,
Und setzt jeden auf ein Kissen von dem feinsten Katzenzahl.
Sechzig feiste Mäusezimmel machten die Versammlung satt;
Ob gespickt, das weiß der Himmel; jeder gibt, so gut er's hat.
Von der Mahlzeit ging's zum Tanze, wo der Wirt sich hören ließ
Und auf einem Rattenschwanze manch verliebtes Stückchen blies.
Hinz, des ersten Schwiegervater, sang darein erbärmlich schön,
Und zween abgelebte Kater quälten sich, ihm beizustehen.
Jetzo tanzen alle Katzen, poltern, lärmen, daß es kracht,
Zischen, heulen, sprudeln, kratzen, bis der Herr im Haus erwacht.
Dieser springt mit einem Stecken in den finsteren Saal hinein,
Schlägt um sich, Sie zu erschrecken, schmeißet einen Spiegel ein,
Stolpert über ein'ge Späne, stürzt im Fallen auf die Uhr,
Und zerbricht zwo Reihen Zähne; blinder Eifer schadet nur!

Schöne Fraun mit schönen Katzen

JOACHIM RINGELNATZ

Schöne Fraun und Katzen pflegen
Häufig Freundschaft, wenn sie gleich sind,
Weil sie weich sind
Und mit Grazie sich bewegen.
Weil sie leise sich verstehen,
Weil sie selber leise gehen,
Alles Plumpe oder Laute

Fliehen und als wohlgebaute
Wesen stets ein schönes Bild sind.
Unter sich sind sie Vertraute,
Sie, die sonst unzähmbar wild sind.
Fell wie Samt und Haar wie Seide.
Allverwöhnt. – Man meint, daß beide
Sich nach nichts, als danach sehnen,
Sich auf Sofas schön zu dehnen.
Schöne Fraun mit schönen Katzen,
Wem von ihnen man dann schmeichelt,
Wen von ihnen man gar streichelt,
Stets riskiert man, daß sie kratzen.
Denn sie haben meistens Mucken,
Die zuletzt uns andre jucken.
Weiß man recht, ob sie im Hellen
Echt sind oder sich verstellen?

Weiß man, wenn sie tief sich ducken,
Ob das nicht zum Sprung geschieht?
Aber abends, nachts, im Dunkeln,
Wenn dann ihre Augen funkeln,
Weiß man alles oder flieht
Vor den Funken, die sie stieben.
Doch man soll nicht Fraun, die ihre
Schönen Katzen wirklich lieben,
Menschen überhaupt, die Tiere
Lieben, dieserhalb verdammen.
Sind Verliebte auch wie Flammen,
Zu- und ineinander passend,
Alles Fremde aber hassend.

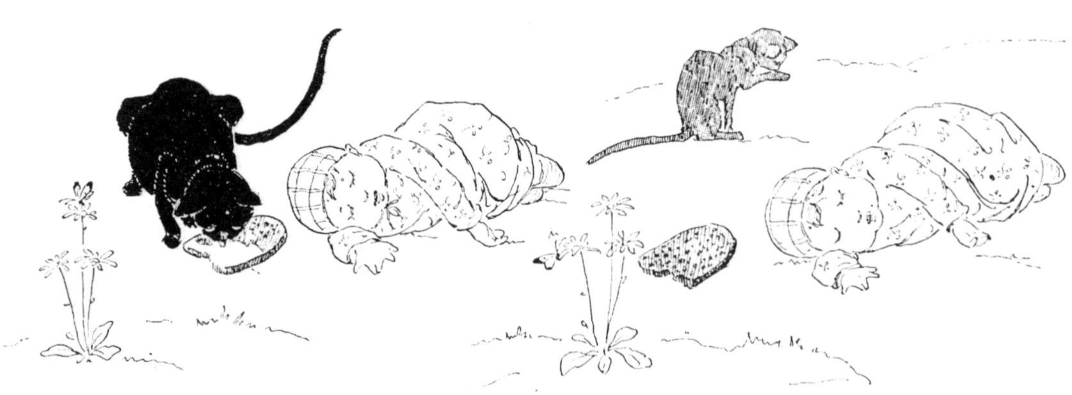

Ob sie anders oder so sind,
Ob sie männlich, feminin sind,
Ob sie traurig oder froh sind,
Aus Madrid oder Berlin sind,
Ob sie schwarz, ob gelb, ob grau, -
Auch wer weder Katz noch Frau
Schätzt, wird Katzen gern mit Frauen,
Wenn sie beide schön sind, schauen.
Doch begegnen Ringelnatzen
Häßlich alte Fraun mit Katzen,
Geht er schnell drei Schritt zurück.
Denn er sagt: Das bringt kein Glück.

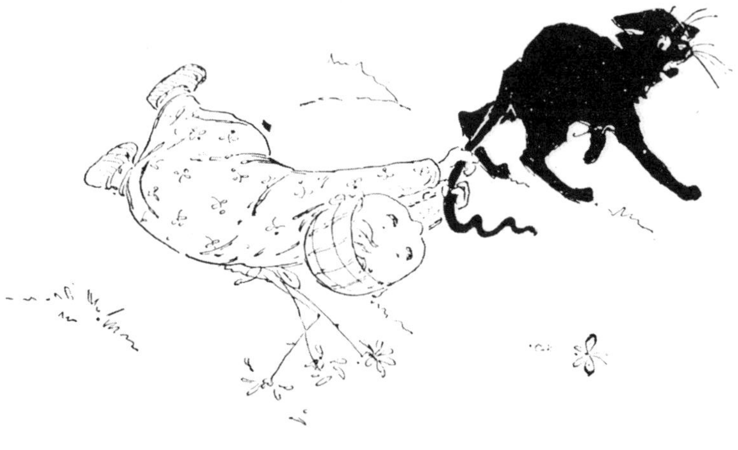

Kater Murr erzählt von seinen ersten Lebenstagen

ERNST THEODOR AMADEUS HOFFMANN

Städte streiten sich um die Geburt eines berühmten Mannes und so wird es, da ich selbst nichts Entscheidendes darüber weiß, immerdar ungewiß bleiben, ob ich in dem Keller, auf dem Boden oder in dem Holzstall das Licht der Welt erblickte, oder vielmehr nicht erblickte, sondern nur in der Welt erblickt wurde von der teuren Mama. Denn wie es unserm Geschlecht eigen, waren meine Augen verschleiert. Ganz dunkel erinnere ich mich gewisser knurrender, prallender Töne, die um mich her erklangen und die ich beinahe wider meinen Willen hervorbringe, wenn mich der Zorn überwältigt. Deutlicher und beinahe mit vollem Bewusstsein finde ich mich in einem sehr engen Behältnis mit weichen Wänden eingeschlossen, kaum fähig, Atem zu schöpfen, und in Not und Angst ein klägliches Jammergeschrei erhebend. Ich fühlte, daß etwas in das Behältnis hinabgriff und mich sehr unsanft beim Leibe packte, und dies gab mir Gelegenheit, die erste wunderbare Kraft, womit mich die Natur begabt, zu fühlen und zu üben. Aus meinen reich überpelzten Vorderpfoten schnellte ich spitze, gelenkige Krallen hervor und grub sie in das Ding, das mich gepackt und das, wie ich später gelernt, nichts anderes sein konnte, als eine menschliche

Hand. Diese Hand zog mich aber heraus aus meinem Behältnis und warf mich hin, und gleich darauf fühlte ich zwei heftige Schläge auf den beiden Seiten des Gesichts, über die jetzt ein, wie ich wohl sagen mag, stattlicher Bart herüberragt. Die Hand teilte mir, wie ich jetzt beurteilen kann, ein paar Ohrfeigen zu; ich machte die erste Erfahrung von moralischer Ursache und Wirkung, und eben ein moralischer Instinkt trieb mich an, die Krallen ebenso schnell wieder einzuziehen als ich sie hervorgeschleudert. Später hat man dieses Einziehen der Krallen mit Recht als einen Akt der höchsten Bonhommie und Liebenswürdigkeit anerkannt und mit dem Namen »Samtpfötchen« bezeichnet.

Wie gesagt, die Hand warf mich wieder zur Erde. Bald darauf erfaßte sie mich aufs neue beim Kopf und drückte ihn nieder, so daß ich mit dem Mäulchen in eine Flüssigkeit geriet, die ich, selbst weiß ich nicht, wie ich darauf verfiel, es mußte daher physischer Instinkt sein, aufzulecken begann, welches mir eine seltsame innere Behaglichkeit erregte. Es war, wie ich jetzt weiß, süße Milch, die ich genoß; mich hatte gehungert und ich wurde satt, indem ich trank. So trat, nachdem die moralische begonnen, die physische Ausbildung ein. Aufs neue, aber sanfter als vorher, faßten mich zwei Hände und legten mich auf ein warmes, weiches Lager. Immer besser und besser wurde mir zumute, und ich begann mein inneres Wohlbehagen zu äußern, indem ich jene seltsamen, meinem Geschlecht allein eigenen Töne von mir gab, welche die Menschen durch den nicht unebenen Ausdruck »Spinnen« bezeichnen. So ging ich mit Riesenschritten vorwärts in der Bildung für die Welt. Welch ein Vorzug, welch ein köstliches Geschenk des Himmels, inneres physisches Wohlbehagen ausdrücken zu können durch Ton und Gebärde! – Erst knurrte ich, dann kam mir jenes unnachahmliche Talent, den Schweif in den zierlichsten Kreisen zu schlängeln, dann die wunderbare Gabe, durch das einzige Wörtlein »Miau« Freude, Schmerz, Wonne und Entzücken, Angst und Verzweiflung, kurz, alle Empfindungen und Leidenschaften in ihren mannigfaltigsten Abstufungen auszudrücken. Was ist die Sprache der Menschen gegen dieses einfachste aller Mittel, sich verständlich zu machen! – Doch weiter in der denkwürdigen, lehrreichen Geschichte meiner ereignisreichen Jugend! –

Ich erwachte aus tiefem Schlaf, ein blendender Glanz umfloß mich, vor dem ich erschrak; fort waren die Schleier von meinen Augen: ich sah!

Ehe ich mich an das Licht, vorzüglich aber an das buntscheckige Allerlei, das sich meinen Augen darbot, gewöhnen konnte, mußte ich mehrmals hintereinander entsetzlich niesen, bald ging es indessen mit dem Sehen ganz vortrefflich, als habe ich es schon mehrere Zeit hintereinander getrieben.

O das Sehen! Es ist eine wunderbare, herrliche Gewohnheit, eine Gewohnheit, ohne die es sehr schwer werden würde, überhaupt in der Welt zu bestehen! – Glücklich diejenigen Hochbegabten, denen es so leicht wird als mir, sich das Sehen anzueignen.

Leugnen kann ich nicht, daß ich doch in einige Angst geriet und dasselbe Jammergeschrei erhob, wie damals in dem engen Behälter. Sogleich erschien ein kleiner, hagerer, alter Mann, der mir unvergeßlich bleiben wird, da ich meiner ausgebreiteten Bekanntschaft unerachtet keine Gestalt, die ihm gleich oder auch nur ähnlich zu nennen, jemals wieder erblickt habe. Es trifft sich häufig bei meinem Geschlecht, daß dieser, jener Mann einen weiß- oder schwarzgefleckten Pelz trägt, selten findet man aber wohl einen Menschen, der schneeweißes Haupthaar haben sollte und dazu rabenschwarze Augenbrauen; dies war aber der Fall bei meinem Erzieher. Der Mann trug im Hause einen kurzen, hochgelben Schlafrock, vor dem ich mich entsetzte und daher, so gut es bei meiner damaligen Unbehilflichkeit gehen wollte, von dem weißen Kissen herab zur Seite kroch. Der Mann bückte sich herab zu mir mit einer Gebärde, die mir freundlich schien und mir Zutrauen einflößte. Er faßte mich, ich hütete mich wohl vor dem Muskelspiel der Krallen, die Ideen »Kratzen« und »Schläge« verbanden sich von selbst; und in der Tat, der Mann meinte es gut mit mir, denn er setzte mich nieder vor einer Schüssel süßer Milch, die ich begierig auslutschte, worüber er sich nicht wenig zu freuen schien. Er sprach vieles mit mir, welches ich aber nicht verstand, da mir damals als einem jungen, unerfahrenen Kiekindiewelt von Käterchen das Verstehen der menschlichen Sprache noch nicht eigen. Überhaupt weiß ich von meinem Gönner nur wenig zu sagen ...

Die Katze, die frei umherstreifte

RUDYARD KIPLING

Höre und merke auf und lausche; denn dieses geschah und ereignete sich und wurde und war, O meine Meistgeliebte, als die zahmen Tiere noch wild waren. Der Hund war wild, und das Pferd war wild, und die Kuh war wild, und das Schaf war wild, und das Schwein war wild – so wild wie es nur sein konnte – und sie streiften wild und im Alleingang in den Weiten Wilden Wäldern umher. Aber das wildeste aller wilden Tiere war die Katze. Sie streifte frei umher, und sie fühlte sich überall zu Hause.

Natürlich war auch der Mann noch wild. Er war schrecklich wild. Er wurde erst zahm, als er der Frau begegnete, die ihm sagte, dass sie so eine wilde Lebensweise nicht leiden konnte. Anstatt eines feuchten Blätterhaufens als Schlafstelle suchte sie eine nette trockene Höhle aus; und sie bestreute den Boden mit sauberem Sand; und hinten in der Höhle zündete sie ein nettes Holzfeuer an; und sie hängte ein getrocknetes Wildpferdfell mit dem Schwanz nach unten vor den Eingang der Höhle; und sie sagte: »Wisch dir die Füße ab, wenn du reinkommst, Lieber, und jetzt wohnen wir.«

An dem Abend, Meistgeliebte, aßen sie Wildschaf, auf heißen Steinen geröstet und gewürzt mit wildem Pfeffer und wildem Knoblauch; und Wildente, gefüllt mit Wildreis und wildem Bockshornklee und wildem Koriander; Markknochen vom Wildochsen; und Wildkirschen und wilde Grenadillen. Dann legte sich der Mann überglücklich beim Feuer schlafen; aber die Frau blieb noch auf und kämmte sich die Haare. Sie nahm den Knochen von der Hammelschulter – das große dicke Schulterblatt – und sie betrachtete die wundervollen Zeichen darauf, warf noch Holz auf das Feuer und machte einen Zauber. Sie machte den ersten Gesangszauber der Welt.

Draußen in den Weiten Wilden Wäldern versammelten sich alle wilden Tiere, wo sie aus der Ferne das Licht des Feuers sehen konnten, und fragten sich, was das bedeuten sollte. Dann stampfte das Wildpferd mit seinem wilden Huf und sagte: »O meine Freunde und O meine Feinde, warum haben der Mann und die Frau das große Licht in dieser großen Höhle gemacht, und welches Leid wird es uns zufügen?«

Der Wilde Hund hob seine wilde Nase, schnupperte den Geruch des gebratenen Hammels und sagte: »Ich werde hingehen und sehen und schauen und berichten; denn ich glaube, es ist etwas Gutes. Katze, komm mit.«

»Nein, nie!« sagte die Katze. »Ich bin die Katze, die frei umherstreift, und ich bin überall zu Hause. Ich werde nicht mitkommen.«

»Dann können wir nie wieder Freunde sein,« sagte der Wilde Hund und trabte davon zur Höhle. Aber als er ein kleines Stück weit weg war, sagte die Katze zu sich selbst: »Ich bin überall zu Hause. Warum sollte ich nicht auch hingehen und sehen und schauen und wieder weggehen, wie es mir paßt.« Also schlich sie leise, ganz leise, dem Wilden Hund hinterher und versteckte sich, so dass sie alles hören konnte.

Als der Wilde Hund den Höhleneingang erreichte, hob er das getrocknete Pferdefell mit der Nase an und schnüffelte nach dem wunderbaren Geruch des gebratenen Hammels, und die Frau, die das Schulterblatt betrachtete, hörte ihn, lachte und sagte: »Da kommt der erste. Wildes Ding aus den Wilden Wäldern, was willst du?«

Der Wilde Hund sagte: »O meine Feindin, Weib meines Feindes, was riecht hier so gut in den Wilden Wäldern?«

Da nahm die Frau einen gebratenen Hammelknochen auf und warf ihn dem Wilden Hund vor und sagte: »Wildes Ding aus den Wilden Wäldern, probiere und versuch's.« Der Wilde Hund nagte an dem Knochen, und der war leckerer als alles, was er je geschmeckt hatte, und er sagte: »O meine Feindin, Weib meines Feindes, gib mir noch einen.«

Die Frau sagte: »Wildes Ding aus den Wilden Wäldern, hilf meinem Mann am Tag bei der Jagd und bewache in der Nacht diese Höhle, und ich werde dir so viele gebratene Knochen geben, wie du brauchst.«

»Ah!« sagte die Katze, als sie das hörte. »Das ist eine sehr kluge Frau, aber sie ist nicht so klug wie ich.«

Der Wilde Hund kroch in die Höhle und legte der Frau den Kopf auf den Schoß und sagte: »O meine Freundin, Weib meines Freundes, ich werde deinem Mann den ganzen Tag beim Jagen helfen, und bei Nacht werde ich eure Höhle bewachen.«

»Ah!« sagte die Katze. »Das ist ein sehr dummer Hund.« Und sie ging durch die Weiten Wilden Wälder davon, ihren wilden Schweif schwenkend, in ihrem wilden Alleingang. Aber sie verriet nichts.

Als der Mann aufwachte, sagte er: »Was macht der Wilde Hund denn hier?« Und die Frau sagte: »Sein Name ist nicht mehr Wilder Hund, sondern Erster Freund, weil er für immer und immer und immer unser Freund sein wird. Nimm ihn mit, wenn du Jagen gehst.«

Am nächsten Abend schnitt die Frau einen großen grünen Armvoll frisches Gras aus den Wasserwiesen, trocknete es am Feuer, so dass es wie frischgemähtes Heu roch, und sie setzte sich an den Höhleneingang und flocht ein Halfter aus Pferdehaut, und sie schaute auf das Hammel-Schulterblatt – auf das große breite Schulterblatt – und machte einen Zauber. Sie machte den zweiten Gesangszauber der Welt.

Draußen in den Wilden Wäldern fragten sich alle wilden Tiere, was mit dem Wilden Hund geschehen war, und schließlich stampfte das Wilde Pferd mit dem Huf und sagte: »Ich werde gehen und sehen und berichten, warum der Wilde Hund nicht zurückgekommen ist. Katze, komm mit.«

»Nein, nie!« sagte die Katze. »Ich bin die Katze, die alleine umherstreift, und ich bin überall zu Hause. Ich werde nicht mitgehen.« Aber trotzdem folgte sie dem Wilden Pferd leise, ganz leise, und versteckte sich, so dass sie alles hören konnte.

Als die Frau das Wilde Pferd trappeln und über seine lange Mähne stolpern hörte, lachte sie und sagte: »Hier kommt der zweite. Wildes Ding aus den Wilden Wäldern, was willst du?«

Das Wilde Pferd sagte: »O meine Feindin, Weib meines Feindes, wo ist der Wilde Hund?«

Die Frau lachte, nahm das Schulterblatt auf, schaute es an und sagte: »Wildes Ding aus den Wilden Wäldern, du bist nicht wegen des Wilden Hundes hergekommen, sondern wegen dieses guten Grases.«

Und das wilde Pferd, trappelnd und über seine lange Mähne stolpernd, sagte: »Das ist wahr; gib es mir zu fressen.«

Die Frau sagte: »Wildes Ding aus den Wilden Wäldern, beuge deinen wilden Kopf und trage, was ich dir gebe, und du sollst dreimal täglich das wunderbare Gras fressen.«

»Ah,« sagte die Katze, als sie das hörte, »das ist eine schlaue Frau, aber sie ist nicht so schlau wie ich.« Das Wilde Pferd beugte seinen wilden Kopf und die Frau zog ihm den geflochtenen Lederhalfter über, und das Wilde Pferd atmete auf die Füße der Frau und sagte: »O meine Herrin, Weib meines Herrn, für dieses wunderbare Gras will ich euer Diener sein.«

»Ah,« sagte die Katze, als sie das hörte, »das ist ein sehr dummes Pferd.« Und sie ging durch die Weiten Wilden Wälder davon, ihren wilden Schweif schwenkend, in ihrem wilden Alleingang. Aber sie verriet nichts.

Als der Mann und der Hund vom Jagen kamen, sagte der Mann: »Was macht das Wilde Pferd hier?« Und die Frau sagte: »Sein Name ist nicht mehr Wildes Pferd, sondern Erster Diener, weil es uns für immer und immer und immer von einem Ort zum andern tragen wird. Reite auf seinem Rücken zur Jagd.«

Am nächsten Tag kam die Wilde Kuh zur Höhle, ihren wilden Kopf hoch erhoben, damit ihre wilden Hörner sich nicht in den wilden Bäumen verfingen, und die Katze folgte ihr und versteckte sich genau wie zuvor; und alles ging wieder genau so wie zuvor; und die Katze sagte dasselbe wie zuvor, und als die Wilde Kuh versprochen hatte, der Frau jeden Tag ihre Milch im Tausch für das wunderbare Gras zu geben, ging die Katze durch die Weiten Wilden Wälder, ihren wilden Schweif schwenkend und in ihrem wilden Alleingang davon, ganz genau wie zuvor. Aber sie verriet nichts. Und als der Mann und das Pferd und der Hund vom Jagen nach Hause kamen und die selben Fragen wie zuvor stellten, sagte die Frau: »Ihr Name ist nicht mehr Wilde Kuh, sondern Spenderin Guter Nahrung. Sie wird uns für immer und immer und immer die warme weiße Milch geben, und ich werde sie pflegen, während du mit dem Ersten Freund und dem Ersten Diener jagen gehst.«

Am nächsten Tag wartete die Katze, ob noch ein Wildes Ding zu der Höhle gehen würde, aber niemand rührte sich in den Weiten Wilden Wäldern, also ging die Katze allein hin; und sie sah, wie die Frau die Kuh molk, und sie sah das Licht des Feuers in der Höhle, und sie roch den Geruch der warmen weißen Milch.«

Die Katze sagte; »O meine Feindin, Weib meines Feindes, wo ist die Wilde Kuh hingegangen?«

Die Frau lachte und sagte: »Wildes Ding aus den Wilden Wäldern, geh' zurück in die Wälder, denn ich habe meine Haare hochgeflochten, und ich habe das magische Schulterblatt weggepackt, und wir haben keinen Bedarf mehr an Freunden oder Dienern in unserer Höhle.«

Die Katze sagte: »Ich bin kein Freund und ich bin kein Diener. Ich bin die Katze, die alleine umherstreift, und ich wünsche, in eure Höhle zu kommen.«

Die Frau sagte: »Warum bist du dann nicht am ersten Abend mit dem Ersten Freund gekommen?«

Die Katze wurde sehr wütend und sagte: »Hat der Wilde Hund Geschichten über mich erzählt?«

Da lachte die Frau und sagte: »Du bist die Katze, die frei umherstreift, und fühlst dich überall zu Hause. Du bist weder Freund noch Diener. Du hast es selbst gesagt. Hau ab und geh zu deinem Überall-Zu-Hause.«

Da tat die Katze so, als ob es ihr leid täte und sagte: »Darf ich niemals in die Höhle kommen? Darf ich niemals am warmen Feuer sitzen? Darf ich niemals die warme weiße Milch trinken? Du bist doch sehr weise und sehr schön. Du solltest nicht grausam sein, nicht einmal zu einer Katze.«

Die Frau sagte: »Ich wußte, dass ich weise bin, aber ich wußte nicht, dass ich schön bin. Also werde ich einen Handel mit dir machen. Wenn ich jemals ein Wort zu deinem Lob sage, darfst du in die Höhle kommen.«

»Und wenn du zwei Worte zu meinem Lob sagst?« sagte die Katze.

»Das werde ich niemals tun,« sagte die Frau, »aber falls ich zwei Worte zu deinem Lob sage, darfst du in der Höhle am Feuer sitzen.«

»Und wenn du drei Worte sagst?« sagte die Katze.

»Das werde ich niemals tun,« sagte die Frau, »aber falls ich drei Worte zu deiner Ehre sage, darfst du dreimal täglich die warme weiße Milch trinken, für immer und immer und immer.«

Da machte die Katze einen Buckel und sagte: »Nun mögen der Vorhang am Eingang der Höhle und das Feuer im Innern der Höhle und die Milchtöpfe, die am Feuer stehen, sich erinnern, was meine Feindin, das Weib meines Feindes, gesagt hat.« Und sie ging, ihren wilden Schweif schwenkend, in ihrem wilden Alleingang durch die Weiten Wilden Wälder davon.

Als an diesem Abend der Mann, das Pferd und der Hund vom Jagen kamen, erzählte die Frau ihnen nichts von dem Handel, den sie mit der Katze gemacht hatte, weil sie befürchtete, dass es ihnen nicht gefallen würde.

Die Katze lief weit, weit weg und vesteckte sich lange Zeit in den Weiten Wilden Wäldern in ihrem wilden Alleingang, bis die Frau sie ganz vergessen hatte. Nur die kleine Fledermaus – die kleine kopfüber-Fledermaus – die in der Höhle hing, flog mit den Neuigkeiten, die es gab, zur Katze.

Eines Abends sagte die Fledermaus: »In der Höhle ist jetzt ein Baby. Er ist neu und rosa, und fett und klein, und die Frau hat es sehr gern.«

»Ah,« sagte die Katze, »aber was hat das Baby sehr gern?«

»Es hat Sachen gern, die weich sind und kitzeln,« sagte die Fledermaus. »Es mag warme Sachen im Arm halten, wenn es einschläft. Es mag, wenn man mit ihm spielt. Das mag es alles gerne.«

»Ah,« sagte die Katze, als sie das hörte, »dann ist jetzt meine Zeit gekommen.«

In der nächsten Nacht ging die Katze durch die Weiten Wilden Wälder und versteckte sich ganz nah bei der Höhle, bis am Morgen der Mann und der Hund und das Pferd zum Jagen gingen. Die Frau war an dem Morgen sehr mit Kochen beschäftigt, und das Baby weinte und störte sie bei der Arbeit. Also trug sie es vor die Höhle und gab ihm eine Handvoll Kiesel zum Spielen. Aber das Baby weinte immer noch.

Da streckte die Katze ihr Patschpfötchen aus und tätschelte dem Baby die Bäckchen, und es gluckste; und die Katze rieb sich an seinen speckigen Knieen und kitzelte es mit dem Schwanz unter dem speckigen Kinn. Und das Baby lachte; und die Frau hörte es und lächelte.

Dann sagte die Fledermaus – die kleine kopfüber-Fledermaus, die am Höhleneingang hing: »O meine Gastgeberin, Weib meines Gastgebers und Mutter des Sohnes meines Gastgebers, ein wildes Ding aus den wilden Wäldern spielt sehr schön mit deinem Baby.«

»Gesegnet sei das Ding, was immer es auch sein mag,« sagte die Frau und streckte ihren Rücken, »denn ich war heute morgen eine sehr beschäftigte Frau und es hat mir einen Dienst erwiesen.«

In genau dieser Minute und Sekunde, Meistgeliebte, fiel der getrocknete Pferdefell-Vorhang, der mit dem Schwanz nach unten über den Eingang der Höhle gespannt war – wuusch! – herunter, weil er sich an den Handel erinnerte, den sie mit der Katze gemacht hatte, und als die Frau hinging und ihn aufhob – siehe da! – da saß die Katze ganz zufrieden in der Höhle.

»O meine Feindin, Weib meines Feindes und Mutter meines Feindes,« sagte die Katze, »ich bin es: denn du hast ein Wort zu meinem Lob gesprochen, und jetzt darf ich für immer und immer und immer in der Höhle sitzen. Aber ich bin immer noch die Katze, die frei umherstreift, und ich bin überall zu Hause.«

Die Frau war sehr wütend, nahm ihr Spinnrad auf und begann zu spinnen. Aber das Baby weinte, weil die Katze weggegangen war, und die Frau konnte es nicht beruhigen, weil es um sich schlug und trat und ganz blau im Gesicht wurde.

»O meine Feindin, Weib meines Feindes und Mutter meines Feindes,« sagte die Katze, »nimm einen Faden von dem Garn, das du spinnst, binde es an deine Spinnwirtel und zieh sie über den Boden, und ich werde dir einen Zauber zeigen, der dein Baby so laut zum Lachen bringt, wie es jetzt schreit.«

»Ich werde das mal machen,« sagte die Frau, »weil ich mit meiner Weisheit am Ende bin, aber ich werde dir nicht dafür danken.«

Sie band den Faden an die kleine tönerne Spinnwirtel und zog sie über den Boden, und die Katze rannte hinterher, schlug mit den Pfoten danach und rollte Hals-über-Kopf, warf sie sich rücklings über die Schulter und jagte zwischen ihren Hinterbeinen danach, verlor sie zum Schein und sprang wieder darauf los, bis das Baby so laut lachte, wie es geschrieen hatte, und hinter der Katze her krabbelte und in der ganzen Höhle herumtollte, bis es müde wurde und sich mit der Katze in den Armen schlafen legte.

»Jetzt,« sagte die Katze, »werde ich dem Kind ein Lied singen, von dem es eine Stunde lang schlafen wird,« und sie begann zu schnurren, laut und leise, leise und laut, bis das Baby fest schlief. Die Frau lächelte, als sie auf die zwei herabschaute und sagte: »Das hast du wunderbar gemacht. Keine Frage, du bist sehr gescheit, O Katze.«

In der selben Minute und Sekunde, Meistgeliebte, kam der Rauch des Feuers hinten in der Höhle in Wolken von der Decke herab – puff! – weil er sich an den Handel erinnerte, den sie mit der Katze gemacht hatte, und als er sich verzogen hatte – siehe da! – saß die Katze ganz gemütlich direkt am Feuer.

»O meine Feindin, Weib meines Feindes und Mutter meines Feindes,« sagte die Katze, »ich bin es, denn du hast ein zweites Wort zu meinem Lob gesprochen, und jetzt kann ich für immer und immer und immer an dem warmen Feuer hinten in der Höhle sitzen. Aber ich bin immer noch die Katze, die frei umherstreift, und ich bin überall zu Hause.«

Da war die Frau sehr sehr wütend, und öffnete ihr Haar, legte Feuerholz nach, holte das breite Schulterblatt des Hammels hervor und begann einen Zauber zu machen, der sie davor schützen sollte, ein drittes Wort zum Lob der Katze zu sagen. Es war kein Gesangszauber, Meistgeliebte, es war ein Stummer Zauber; und nach und nach wurde es so still in der Höhle, dass eine kleine winzige Maus aus einer Ecke hervorkroch und über den Boden rannte.

»O meine Feindin, Weib meines Feindes und Mutter meines Feindes,« sagte die Katze, »gehört die kleine Maus zu deinem Zauber?«

»Aah! Hieeh! Nein, überhaupt nicht!« sagte die Frau, und sie ließ das Schulterblatt fallen und sprang auf den Hocker, der vor dem Feuer stand, und drehte ihr Haar sehr schnell auf, aus Angst, dass die Maus daran herauflaufen würde.

»Ah,« sagte die Katze, als sie das sah, »dann wird die Maus mir nicht schaden, wenn ich sie auffresse?«

»Nein,« sagte die Frau und drehte ihre Haare auf, »friß sie schnell auf, und ich werde dir ewig dankbar sein.«

Die Katze machte einen Sprung und fing das Mäuschen, und die Frau sagte: »Tausend Dank. Nicht einmal der Erste Freund ist schnell genug, um so wie du Mäuschen zu fangen. Du mußt sehr klug sein.«

In diesem selben Moment und Augenblick, o Meistgeliebte, zerbrach der Milchtopf, der beim Feuer gestanden hatte, in zwei Stücke – ffft – weil er sich an den Handel erinnerte, den er mit der Katze gemacht hatte, und als die Frau von ihrem Hocker sprang– siehe da! – schlabberte die Katze die warme weiße Milch aus einem der Bruchstücke.

»O meine Feindin, Weib meines Feindes und Mutter meines Feindes,« sagte die Katze, »ich bin es; denn du hast drei Worte zu meinem Lob gesprochen, und jetzt kann ich dreimal täglich für immer und immer und immer die warme weiße Milch trinken. Aber ich bin immer noch die Katze, die frei umherstreift, und ich bin überall zu Hause.«

Da lachte die Frau und stellte der Katze eine Schale mit warmer Milch hin und sagte: »O Katze, du bist so klug wie ein Mensch, aber denk daran, dass dein Handel nicht mit dem Mann oder dem Hund abgeschlossen wurde, und ich weiß nicht, was sie machen werden, wenn sie nach Hause kommen.«

»Was interessiert mich das?« sagte die Katze. »Wenn ich meinen Platz am Feuer in der Höhle und dreimal täglich meine warme Milch habe, kümmert es mich nicht, was der Mann oder der Hund machen.«

Als an dem Abend der Mann und der Hund in die Höhle kamen, erzählte die Frau ihnen die ganze Geschichte von dem Handel, während die Katze am Feuer saß und grinste. Dann sagte der Mann: »Ja, aber mit mir hat sie keinen Handel gemacht, und auch nicht mit den anständigen Männern, die nach mir kommen werden.« Dann zog er seine beiden Lederstiefel aus und nahm seine kleine Steinaxt (das waren drei) und er holte ein Stück Holz und ein Beil (das macht zusammen fünf), stellte alles in einer Reihe auf und sagte: »Jetzt werden wir unseren Handel machen. Wenn du nicht Mäuse fängst, so lange du in der Höhle bist, für immer und immer und immer, werde ich diese fünf Sachen nach dir werfen, sobald ich dich sehe, und alle anständigen Männer nach mir werden das auch so halten.«

»Ah,« sagte die Frau, als sie das hörte, »das ist eine sehr kluge Katze, aber sie ist nicht so klug wie mein Mann.«

Die Katze zählte die fünf Sachen (die sehr knorrig aussahen) und sagte: »Ich werde für immer und immer und immer Mäuse fangen, wenn ich in der Höhle bin; aber ich bin immer noch die Katze, die frei umherstreift, und ich bin überall zu Hause.«

»Nicht, wenn ich in der Nähe bin,« sagte der Mann. »Wenn du das zuletzt nicht gesagt hättest, hätte ich alle diese Sachen für immer und immer und immer weggelegt; aber jetzt werde ich meine Stiefel und meine kleine Steinaxt nach dir werfen (das sind drei), wann immer ich dich sehe. Und alle anständigen Männer nach mir werden das auch so halten.«

Dann sagte der Hund: »Wartet mal. Mit mir und mit allen anständigen Hunden nach mir hat sie keinen Handel gemacht.« Und er zeigte seine Zähne und sagte: »Wenn du nicht für immer und immer und immer lieb zu dem Baby bist, so lange ich in der Höhle bin, werde ich dich jagen, bis ich dich habe, und wenn ich dich habe, werde ich dich beißen. Und alle anständigen Hunde nach mir werden das auch so halten.«

»Ah,« sagte die Frau, als sie das hörte, »das ist eine sehr kluge Katze, aber sie ist nicht so klug wie der Hund.«

Die Katze zählte die Zähne des Hundes (und die sahen sehr spitz aus) und sagte: »Ich werde für immer und immer und immer lieb zu dem Baby sein, wenn ich in der Höhle bin, so lange es nicht zu feste an meinem Schwanz zieht. Aber ich bin immer noch die Katze, die frei umherstreift, und ich bin überall zu Hause.«

»Nicht, wenn ich in der Nähe bin,« sagte der Hund. »Wenn du das zuletzt nicht gesagt hättest, hätte ich für immer und immer und immer meine Schnauze gehalten; aber jetzt werde ich dich auf einen Baum scheuchen, wann immer ich dich sehe. Und alle anständigen Hunde nach mir werden das auch so halten.«

Dann warf der Mann seine zwei Stiefel und seine kleine Steinaxt (das macht drei) nach der Katze, und die Katze rannte aus der Höhle, und der Hund scheuchte sie auf einen Baum; und von jenem Tage bis heute, Meistgeliebte, werden drei von fünf anständigen Männern immer mit Sachen nach einer

Katze werfen, sobald sie sie sehen, und alle anständigen Hunde werden sie auf einen Baum scheuchen. Aber die Katze hält ihre Seite des Handels genauso ein. Sie wird Mäuse töten und lieb zu Babies sein, wenn sie im Haus ist, solange die sie nicht zu feste am Schwanz ziehen. Aber wenn sie damit fertig ist, und auch zwischendurch, und wenn der Mond aufgeht und die Nacht kommt, dann ist sie die Katze, die frei umherstreift, und ist überall zu Hause. Dann geht sie in die Weiten Wilden Wälder oder auf die Weiten Wilden Dächer, ihren wilden Schweif schwenkend, in ihrem wilden Alleingang.

Pussi sitzt am Feuer und schnurrt,
Pussi springt auf den Baum,
Spielt mit dem alten Kork an der Schnur,
Spielt für sich, beachtet mich kaum.
Viel lieber ist mir da Bello, der Hund
Der sich richtig benehmen kann,
Bello ist, was der Erste Freund war, und
ich bin der Höhlenmann.
Pussi ist nur Mein-Mann-Freitag geblieben,
Bis es Zeit war, die Pfoten zu rühren;
(Für Crusoe hat sie'n Fuß-Abdruck geschrieben)
Jetzt will sie auf Dächern spazieren.
Sie plustert den Schwanz und miaut
Und kratzt und rennt hin und her.
Doch Bello spielt mit und bellt fröhlich laut,
Mein Erster Freund, das ist er.
Pussi reibt ihr Köpfchen an meinem Knie
Tut so, als liebt' sie mich sehr;
Doch wenn ich zu Bett geh, seh ich sie nie,
Dann läuft sie im Hof hin und her;
Und da bleibt sie, bis die Sonne aufgeht,
Darum weiß ich, sie macht mir was vor;
Denn Bello schnarcht nachts bei mir vor dem Bett,
Mein Erstester Freund, das ist er!

»Beauty« wird von ihrer Herrin verteidigt

HONORÉ DE BALZAC

»Beauty« ist ganz und gar moralisch, sie ist ein kleiner Engel ... Obwohl sie sehr schön ist, scheint sie es doch gar nicht zu wissen. Nie beachtet sie jemand, und das ist der Gipfel guter aristokratischer Erziehung; freilich läßt sie sich sehr gern bewundern, doch besitzt sie durchaus jene vollkommene Unempfindlichkeit, die wir von unseren jungen Damen fordern und die wir nur mit größter Mühe uns anzueignen vermögen. Sie wartet ab, daß man sie kommen heißt, nie springt sie zudringlich auf einen, niemand sieht sie essen, und gewiß hätte dies Ungetüm von Lord Byron sie angebetet. Als waschechte Engländerin liebt sie den Tee, sieht gewichtig drein, wenn man die Bibel auslegt, und denkt von niemandem Schlechtes, wodurch sie solches anzuhören sich gestatten darf. Sie gibt sich einfach und ohne jedwede Ziererei und macht sich nichts aus Schmuck: gib ihr einen Ring, sie wird auf ihn nicht acht haben; schließlich macht sie das üble Herumjagen nicht mit, sie liebt das Heim und hält sich so vollendet ruhig, daß man manchmal glauben möchte, sie sei eine Spielzeugkatze aus Birmingham oder Manchester, so ein Non-plus-ultra der guten Erziehung.

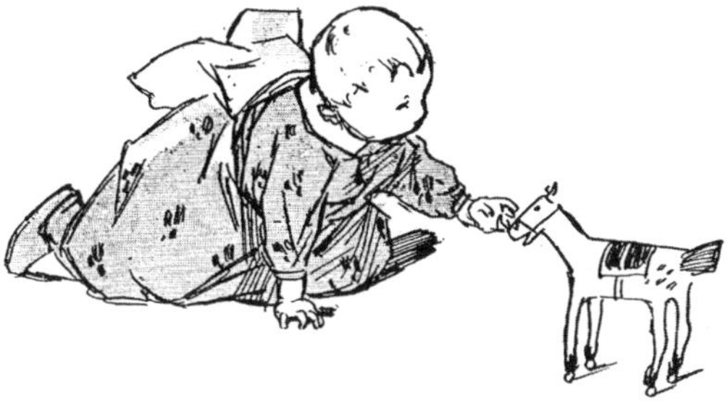

Mimi

HEINRICH HEINE

Bin kein einsam Bürgerkätzchen,
Nicht im frommen Stübchen spinn' ich
Auf dem Dach', in freier Luft,
Eine freie Katze bin ich.

Wenn ich sommernächtlich schwärme,
Auf dem Dache, in der freien Kühle,
Schnurrt und knurrt in mir Musik,
Und ich singe, was ich fühle.

Also spricht sie. Aus dem Busen
Wilde Brautgesänge quellen,
Und der Wohllaut lockt herbei
Alle Katerjunggesellen.

Alle Katerjunggesellen,
Schnurrend, knurrend, alle kommen,
Mit Mimi zu musizieren,
Liebelechzend, lustentglommen.

Das sind keine Virtuosen,
Die entweiht jemals für Lohngunst
Die Musik, sie blieben stets
Die Apostel heil'ger Tonkunst.

Brauchen keine Instrumente,
Sind selber Bratsch' und Flöten;
Eine Pauke ist ihr Bauch,
Ihre Nasen sind Trompeten.

Sie erheben ihre Stimmen
Zum Konzert gemeinsam jetzo;
Das sind Fugen, wie von Bach
Oder Guido von Arezzo.

Das sind tolle Symphonien,
Wie Capricen von Beethoven
Oder Berlioz, der wird
Schnurrend, knurrend übertroffen.

Wunderbare Macht der Töne!
Zauberklänge sondergleichen!
Sie erschüttern selbst den Himmel,
Und die Sterne dort erbleichen.

Wenn sie hört die Zauberklänge,
Wenn sie hört die Wundertöne,
So verhüllt ihr Angesicht
Mit dem Wolkenflor Selene.

Nur das Lästermaul, die alte
Prima Donna Philomele
Rümpft die Nase, schimpft und schmäht
Mimi's Singen – kalte Seele!

Doch gleichviel, das musizieret
Trotz dem Neide der Signora,
Bis am Horizont erscheint
Rosig lächelnd Fee Aurora.

Katzenparadies

RICARDA HUCH

Liebes Kätzlein, totes und begrabnes,
Wirst du mir mit deinen goldnen Augen
Nie mehr keck und treulich ins Gesicht sehn,
Mit des Schwanzes Spitze klug umschreibend
Unsre heitren Seelenzwiegespräche?
Ach, es wird doch wohl am jüngsten Tage
Sich ein Engelsbübchen, ausgerüstet
Mit der kleinsten silbernen Posaune,
Auf dein hübsch verziertes Hüglein stellen

Die weiße Perserkatze

HUGH LOFTING

»... Hast du denn so böse Erfahrungen mit Katzen gemacht?« fragte der Doktor. »Nein, ich nicht,« sagte der Kanarienvogel, »aber jemand anders machte sie. Das hat mich vieles gelehrt. Ich habe einmal mit einem Papagei in einem Hause gelebt. Eines Tages bekam unsere Besitzerin eine schöne, weiße, seidige Perserkatze, es war ein wunderhübsches Geschöpf. Der alte Papagei sagte mir am Morgen, als die Katze kam: ‚Sie sieht ganz anständig aus.'

‚Pol!,' sagte ich, ‚Katzen sind Katzen! Traue ihr nicht, man darf nie einer Katze trauen.'«

»Wahrscheinlich sind sie darum so geworden, wie sie sind,« sagte der Doktor, »die Tatsache, daß einem niemand traut, muß einem entsetzlich den Charakter verderben.«

»Ach was,« sagte der Kanarienvogel, »unsere Frau traute der Katze schon, ließ sie selbst nachts mit uns in einem Zimmer. Mein Käfig hing hoch oben an der Decke, ich brauchte daher nicht zu fürchten, daß sie mich mit ihren Krallen erreichen könnte. Aber der arme alte Pol, einer der anständigsten Papageien, die je auf einer Stange gesessen haben, – er hatte ja keinen Käfig, sondern nur einen dieser dummen Ständer für Papageien, gekreuzte Stäbe und eine lange Kette an seinem Knöchel –, er wollte nicht glauben, daß dieses süße, weißbepelzte Geschöpf gefährlich sei, bis es eines Tages die Stange zu seinem Stand hinaufkletterte. Nun, ein Papagei ist ein recht guter Kämpfer, wenn es ein anständiger Kampf ist, und er teilte ihr mehr aus, als sie erwartet hatte. Er hatte ihr ein Stück aus dem Ohr gebissen, als sie sich von dem Ständer zurückzog.

‚Jetzt wirft du mir vielleicht glauben,' sagte ich, ‚paß auf, sie wird dich noch einmal kriegen, wenn sie und der Teufel eine Gelegenheit dazu finden werden. Was du auch tun magst, schlaf bloß nicht ein, während sie im Zimmer ist. Solange du sie ansiehst, hat sie jetzt vor dir Angst, aber sobald du nicht auf der Hut bist, wird sie keine Angst haben. Ein Sprung, ein Biß ins Genick, und Polly bittet nicht mehr um Keks. Denke daran, schlafe nicht ein, während sie im Zimmer ist.'«

Der grüne Kanarienvogel hielt einen Augenblick inne und hüpfte über den Tisch, um einen Schluck aus Göb-Göbs Milchschale zu trinken, über welche Frechheit sich das betreffende Mitglied des Haushalts sehr wunderte. Dann wetzte er seinen Schnabel an dem Pfeffer- und Salzfaß und fuhr fort:

»Ich kann euch gar nicht sagen, wie oft ich das Leben des törichten Papageis gerettet habe. Er war ein leichtlebiger Vogel und liebte die Regelmäßigkeit. Er war Junggeselle und legte sehr viel Wert auf die genaue Einhaltung seiner täglichen kleinen Gewohnheiten; er konnte es nicht ertragen, daß irgend etwas ihn dabei störte. Er war tagelang schlecht gelaunt und brummig, wenn das Mädchen vergessen hatte, ihm Sonnabend abend ein Bad oder Sonntag früh ein Stück Orangenschale zu geben. Eine seiner kleinen Angewohnhei-

ten war es, jeden Tag nach dem Mittagessen ein Schläfchen zu machen. Ich warnte ihn immer wieder und wieder davor, denn es war zu gefährlich, wenn nicht die Türen und Fenster verschlossen waren und die Katze sich draußen befand. Aber seine jahrelangen Junggesellengewohnheiten waren zu stark, und ich glaube, er würde dies Schläfchen gemacht haben, wenn das ganze Zimmer voller Katzen gewesen wäre.«

Der Kanarienvogel pickte wieder eine Krume auf, zerknusperte sie nachdenklich und fuhr fort:

»Ich habe schon oft gedacht, daß etwas sehr Schönes an der Unabhängigkeit des Papageis war. Er hatte Grundsätze, und nichts konnte diese ändern. Inzwischen wartete die schreckliche Katze auf eine Gelegenheit. So und so oft, wenn Polly vor sich hindöste, sah ich sie den Gang hinunterschleichen oder über den Tisch kriechen, um von da aus auf den Papageienständer zu springen. Dann pfiff ich fürchterlich laut, der Papagei wachte auf; die Katze schlich sich davon und erdolchte mich mit ihren Blicken, weil ich ihr das Spiel verdorben hatte.

Unserer Herrin kam es nie in ihren leeren Kopf, daß die Katze eine gefährliche Kundin war. Eines Tages fragte sie ein Freund, ob sie nicht fürchtete, diese Bestie frei herumlaufen zu lassen, wo sie keinen Käfig für den Papagei besaß. ‚Ach nein, Muschi tut meinem guten Polly nichts, nicht wahr, Muschichen?' Und dann rieb die seidige Heuchlerin ihren Hals am Kleid der alten Dame, schnurrte und sah so aus, als ob sie kein Wässerchen trüben könnte.

Ich tat, was ich konnte, aber der Tag kam, wo selbst ich der weißen Teufelin unterliegen mußte. Die alte Dame war fortgegangen, um Freunde auf dem Lande zu besuchen, und das Mädchen hatte seinen Ausgang. Dem Papagei und mir wurde die doppelte Portion Futter und Wasser hingesetzt, das Haus wurde verschlossen und die Schlüssel unter die Matte gelegt. Die Tür des Wohnzimmers, wo wir immer standen, wurde geschlossen, und ich dankte meinem Stern, daß jedenfalls an diesem Tag sich mein Freund in Sicherheit befände. Gegen Mittag zog ein Gewitter auf, und der Wind heulte entsetzlich um unser Haus. Plötzlich sah ich, wie die Tür zu unserem Zimmer aufsprang. Sie war nicht richtig eingeklinkt, sondern nur nachlässig zugedrückt gewesen.

‚Schlafe nicht ein, Polly,' rief ich, ‚die Katze kann jeden Augenblick hereinkommen!'

Lange Zeit kam sie nicht, und nachdem eine Stunde vergangen war, glaubte ich, daß die Katze irgendwo in einem anderen Zimmer eingeschlossen war, und ich mir keine Sorgen zu machen brauchte. Nach dem Mittagessen schlief Pol fest ein, und da ich mich auch sehr schläfrig fühlte, nickte auch ich ein.

Ich träumte von einer Menge schrecklicher Dinge – riesigen Katzen, die durch die Luft sprangen, Papageien, die sich mit Schwertern und Mistgabeln verteidigten – alles mögliche entsetzliche Zeug. Und in dem fürchterlichsten Moment des schlimmsten Traums glaubte ich ein Ausschlagen auf den Boden zu hören und erwachte plötzlich. Ich war hellwach, so wach, wie man nach Alpdrücken ist. Auf dem Fußboden lag Pol, mausetot, und auf dem Teppich neben ihm saß die weiße Katze und grinste mich teuflisch an.«

Pipinella überflog ein Schauder, und sie rieb sich den Schnabel mit ihrem rechten Fuß, als ob sie die Erinnerung an einen schlechten Traum hinwegwischen wollte.

»Ich war zu erschrocken, um ein Wort zu sagen«, fuhr sie dann plötzlich fort, »und ich dachte darüber nach, ob dieses entsetzliche Wesen nun meinen armen toten Freund auffressen würde. Aber keine Spur! Sie hatte ihn nicht aus Hunger getötet. Sie bekam täglich drei ausreichende Mahlzeiten von der alten Dame, die leckersten Bissen aus dem ganzen Hause. Sie wollte nur töten, töten, aus Vergnügen am Töten. Drei Monate lang hatte man sie beobachtet und gewartet und berechnet, und am Ende hatte sie gewonnen. Sie sandte mir noch ein zweites triumphierendes Grinsen zu, drehte sich langsam herum, ließ den Leichnam liegen, wo er lag, und stolzierte zur Tür hinaus ...«

Kritik des Herzens

WILHELM BUSCH

Es sitzt ein Vogel auf dem Leim,
er flattert sehr und kann nicht heim.
Ein schwarzer Kater schleicht herzu,
die Krallen scharf, die Augen glüh.
Am Baum hinauf und immer höher
kommt er dem armen Vogel näher.
Der Vogel denkt: weil das so ist,
und weil mich doch der Kater frißt,
so will ich keine Zeit verlieren,
will noch ein wenig quinquilieren,
und lustig pfeifen wie zuvor.
Der Vogel, scheint mir, hat Humor.

Müßige Gedanken

JEROME K. JEROME

Die Katzen stehen in dem Rufe, mehr Weltweisheit zu besitzen, als die Hunde, weil sie mehr auf ihren Vorteil sehen und sich weniger blind dem ihrer Freunde weihen. Und wir Männer und Frauen ärgern uns natürlich über solche Selbstsucht. Die Katzen lieben sicherlich eine Familie, die einen Teppich in der Küche hat, mehr als eine Familie, die keinen hat. Und wenn außerdem noch viele Kinder da sind, so ziehen sie vor, ihre Mußestunden im nächsten Hause zu verbringen. Aber alles in allem sind die Katzen zu unrecht verdammt worden. Erwirb dir die Freundschaft einer Katze, und sie wird mit dir durch dick und dünn gehen. Alle Katzen, die ich hatte, sind sehr treue Kameraden gewesen.

Ich besaß einmal eine Katze, die mir überallhin zu folgen pflegte. Schließlich wurde es mir ganz unbequem, und ich mußte es mir als eine persönliche Gunst von ihr ausbitten, mich fernerhin nicht mehr durch High Street zu begleiten. Sie pflegte aufzubleiben, wenn ich spät nach Hause kam, und begrüßte mich dann auf dem Flur. Deshalb kam ich mir beinahe wie ein verheirateter Mann vor, nur, daß sie niemals fragte, wo ich gewesen war, und es nicht glaubte, wenn ich es ihr erzählte.

Eine andere Katze, die ich besaß, betrank sich regelmäßig alle Tage. Sie konnte stundenlang vor der Kellertür lauern, um bei der ersten Gelegenheit hineinzuschlüpfen und das aus dem Faß getropfte Bier aufzulecken. Ich erwähne diese ihre

Gewohnheit nicht zum Ruhme ihrer Gattung, sondern um zu zeigen, wie einige von ihnen beinahe menschenähnlich sind. Wenn es eine Seelenwanderung gibt, so war dieses Tier ganz sicherlich zum Diener ausersehen, denn ihre Eitelkeit kam erst in zweiter Linie, hinter ihrer Liebe zum Trunk. Wenn sie eine besonders große Ratte gefangen hatte, so brachte sie sie in das Zimmer, in dem wir uns alle befanden, legte den Leichnam mitten unter uns wieder nieder und erwartete unsere Lobsprüche. Ach, wie kreischten dann die Mädchen!

Die Katzen

CHARLES BAUDELAIRE

Die Liebenden voll Glut und Weise, ernst verweilend,
bewundern gleicher Art in ihrer reifen Zeit
die Katzen sanft und stark, des Hauses Kostbarkeit,
fröstelnd gleich ihnen und ihr stilles Zimmer teilend.

Freunde des Wissens und der dunklen Leidenschaft,
suchen die Stille sie, der Finsternisse Schauer.
Der Hades nähme sie zu Boten seiner Trauer,
gewährte solchem Dienst sich ihre stolze Kraft.

Sie ähneln in den edlen Gebärden, wenn sie träumen,
den großen Sphinxen, ausgestreckt an Wüstensäumen,
die schlafend hält umhegt endlosen Traumes Reich.

Aus ihren starken Lenden magische Funken sprühen,
und kleine goldne Punkte, feinem Sande gleich,
in ihrem Augengrund wie bleiche Sterne glühen.

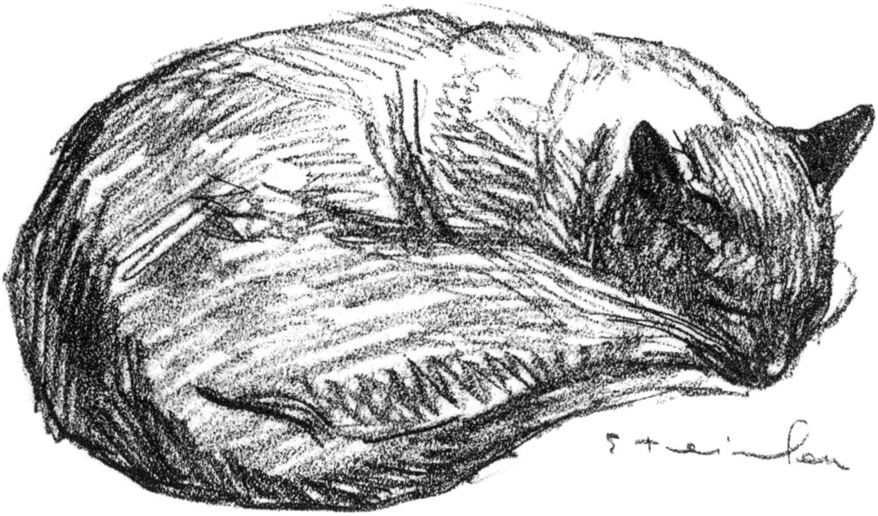

La Ménagerie Intime

THÉOPHILE GAUTIER

… Die Freundschaft einer Katze erwerben ist ein schwierig Ding. Solch Tier ist philosophisch, fremdartig, ruhsam, hängt an seinen Gewohnheiten, liebt Ordnung und Sauberkeit und läßt seine Zuneigung nicht unbesonnen wuchern: es will gern dein Freund sein, wenn du dessen würdig bist, doch nie dein Sklave. Bei aller Zärtlichkeit wahrt es seine freie Meinung und würde nichts für dich tun, was es als unvernünftig erachtet; hat es sich aber einmal dir geschenkt, welch unbedingtes Vertrauen, welche Beharrlichkeit der Zuneigung! Es wird dein Gefährte in den Stunden der Einsamkeit, der Sammlung, der Arbeit. Es verharrt ganze Abende auf deinem Knie und spinnt sein Garn, glücklich, bei dir zu sein, und ohne Sinn für die Gemeinschaft seiner Artgenossen. Vergebens tönen Katzenschreie vom Dach und rufen es zu einer dieser Abendgesellschaften, wo es statt Tee saure Heringslake gibt; es läßt sich nicht in Versuchung führen und dehnt mit dir seine Spinnstunde aus. Wenn du es zu Boden setzest, klettert es schnell genug auf seinen Platz zurück und schnurrt dabei auf seine Art, die sanftem Vorwurf gleichkommt. Aufgebaut vor dir, schaut es dich manchmal aus Augen an, so voll und fest, so kernig und zart, so einschmeichelnd und so menschenhaft, daß man fast erschrickt, weil es ein Unding wäre, anzunehmen, aus ihnen spräche nicht lebender Gedanke.

Die Katze

CHARLES BAUDELAIRE

Schöne Katze, komm an mein Herz, dir geschenkt,
verbirg in den Tatzen die Kralle.
Wenn mein Blick in dein schönes Auge sich senkt,
drin Achat sich vermählt dem Metalle,

wenn meine Hand dir zärtlich berührt
den Kopf und den biegsamen Rücken
und, wie den knisternden Körper sie spürt,
sich berauscht in trunkenem Entzücken,

sah ich im Geist meine Frau. Ihr Blick,
gutes Tier, ähnlich dem deinen,
funkelnd und kalt, trifft wie ein Pfeil und bebt,

und ein Hauch, gleich einem feinen,
gefährlichen Duft, von Fuß bis Genick
rings ihre braune Gestalt umschwebt.

Schwarze Katze

RAINER MARIA RILKE

Ein Gespenst ist noch wie eine Stelle,
dran dein Blick mit einem Klange stößt;
aber da an diesem schwarzen Felle
wird dein stärkstes Schauen aufgelöst:

wie ein Tobender, wenn er in vollster
Raserei ins Schwarze stampft,
jählings am benehmenden Gepolster
einer Zelle auf hört und verdampft.

Alle Blicke, die sie jemals trafen,
scheint sie also an sich zu verhehlen,
um darüber drohend und verdrossen
zuzuschauen und damit zu schlafen.
Doch auf einmal kehrt sie, wie geweckt,
ihr Gesicht und mitten in das deine:
und da triffst du deinen Blick im geelen
Amber ihrer runden Augensterne
unerwartet wieder: eingeschlossen
wie ein ausgestorbenes Insekt.

Aus dem Vorwort zu »Mitsou«

RAINER MARIA RILKE

Wer kennt die Katzen? Ist es zum Beispiel möglich, daß Sie beanspruchen würden, sie zu kennen? Ich gestehe, daß ihr Dasein für mich nie mehr als eine ziemlich gewagte Annahme war.

Nicht wahr, die Tiere müssen, um zu unserer Welt zu gehören, sich ihr ein wenig anpassen. Es ist nötig, daß sie, sei es auch nur zum Teil, unsere Lebensform billigen, daß sie sie dulden. Wenn nicht, so werden sie, sei es feindselig oder furchtsam, den Abstand wahren, der sie von uns trennt, und eben er wird die Art ihrer Beziehung darstellen.

Man sehe die Hunde. Ihre vertrauensvolle und bewundernde Annäherung geht so weit, daß manche von ihnen auf ihre ältesten Hundetraditionen verzichtet zu haben scheinen, um unsere Gewohnheiten und sogar unsere Irrtümer anzubeten. Das ist es wohl, was sie tragisch und ehrwürdig erscheinen läßt. Ihre Entscheidung, uns gelten zu lassen, zwingt sie sozusagen, an den Grenzen ihrer Natur zu wohnen, die sie mit ihrem vermenschlichten Blick und ihren süchtigen Nüstern dauernd überschreiten.

Aber welcher Art ist das Verhalten der Katzen? Die Katzen sind Katzen, kurz gesagt, und ihre Welt ist; die Welt der Katzen von einem Ende bis zum andern. Sie blicken uns an, meinen Sie? Aber hat man je erfahren, ob sie wirklich geruhen, unser nichtiges Abbild einen Augenblick lang auf dem Grunde ihrer Netzhaut zu beherbergen? Vielleicht stellen sie uns, indem sie uns anstarren, ganz einfach eine magische Weigerung ihrer niemals ganz gerundeten Pupillen entgegen? – Sicherlich lassen sich manche von uns durch ihre schmeichlerischen und funkensprühenden Liebkosungen täuschen. Aber jene mögen sich der seltsamen und plötzlichen Ablenkung erinnern, mit der ihr Lieblingstier oft den Gefühlsausbrüchen ein Ende bereitete, die sie für gegenseitige gehalten hatten. Auch sie, die bei den Katzen in Geltung stehenden Bevorzugten, sind manchmal verleugnet und abgewiesen worden, und noch während sie das seltsam apathische Tier an die Brust drückten, fühlten sie sich aufgehalten an der Schwelle jener Welt, welche die der Katzen ist und die jene ausschließlich bewohnen, von Verhältnissen umgeben, die niemand von uns zu erraten vermöchte.

War der Mensch jemals ihr Zeitgenosse? Ich bezweifle es. Und ich versichere Ihnen, daß die Katze des Nachbarn manchmal in der Dämmerung quer durch meinen Körper hindurchspringt, als wüßte sie nichts von mir, oder um den verdutzten Dingen zu beweisen, daß ich nicht da bin.

*

Ein Ding zu finden, ist immer ein Vergnügen: einen Augenblick vorher war es noch nicht da. Aber eine Katze zu finden: das ist unerhört! Denn die Katze, einigen wir uns darin, tritt nicht gänzlich in Ihr Leben ein, wie zum Beispiel irgendein Spielzeug es tun würde. Ihnen im Augenblick ganz gehörend, bleibt doch ein Etwas von ihr außerhalb, und das besagt in jedem Fall:

das Leben + eine Katze,

das ergibt, ich versichere es Ihnen, eine enorme Summe.

Ein Ding verlieren, das ist sehr traurig. Es ist zu vermuten, daß es ihm schlecht ergeht, daß es sich irgendwie beschäftigt, daß es im Verlorensein endet. Aber eine Katze verlieren: Nein! das ist nicht erlaubt. Eine Katze hat noch keiner verloren. Kann man eine Katze verlieren, ein lebendiges Ding, ein lebendes Wesen, ein Leben? Aber ein Leben verlieren: das ist der Tod!

Ja, das ist der Tod –

Finden. Verlieren. Haben Sie jemals recht darüber nachgedacht, was das bedeutet: Verlust? Es ist nicht ganz einfach die Verneinung jenes großmütigen Augenblicks, welcher kam und eine Erwartung im Übermaß erfüllte, die sie gar nicht gehegt hatte. Denn zwischen diesem Augenblick und dem Verlust liegt immerhin das, was man – ungeschickt genug, ich gebe es zu – den Besitz nennt.

Nun, der Verlust, so grausam er auch sei, vermag nichts gegen den Besitz. Er vollendet ihn, wenn Sie wollen, er bestätigt ihn, er bedeutet im Grunde nur eine zweite Inbesitznahme, diesmal ganz verinnerlicht und anders intensiv.

Politik des Misstrauens

KAREL ČAPEK

Erklärt mir jemand, warum eine Katze auf sonderbare Weise erregt wird, wenn man recht fein und hoch vor sich hin pfeift? Ich habe es auch mit englischen, italienischen und deutschen Katzen versucht; es gibt darin keinen geographischen Unterschied: sobald die Katze euer Pfeifen vernimmt (namentlich wenn ihr möglichst hoch »O schöne Nacht, der Liebe Zeit, wie atmet alles sehnsuchtsheiß« pfeift), so

beginnt sie sich fasziniert an euch zu reiben, springt euch in den Schoß, beschnuppert verwundert eure Lippen und beginnt, euch schließlich in irgendeiner Liebeserregung leidenschaftlich in den Mund oder in die Nase zu beißen, mit einem wollüstig verderbten Ausdruck; worauf ihr freilich aufhört, und sie heiser und emsig wie ein kleiner Motor zu schnurren anhebt. Ich habe oft darüber nachgedacht und weiß heute noch nicht, aus welchem uralten Trieb heraus die Katze das Pfeifen vergöttert; ich glaube nicht, daß die Kater ganz fein pfiffen, anstatt mit einem metallischen und rauhen Alt zu locken, wie sie es eben jetzt zu tun pflegen. Vielleicht lebten in fernen, wilden Zeiten irgendwelche Katzengottheiten, die zu ihren gläubigen Katzen durch magisches Pfeifen redeten; aber das ist nur eine Hypothese, und die besagte musikalische Bezauberung ist eines der Rätsel der Katzenseele.

Der Mensch glaubt die Katzen zu kennen, wie er die Menschen zu kennen glaubt. Die Katze ist ein Ding, das zusammengerollt im Lehnsessel schläft, manchmal die Aschenschale herunterwirft und den Großteil seines Lebens im leidenschaftlichen Genuß der Wärme verbringt. Aber das geheimnisvolle Kastenwesen erkannte ich erst in Rom, und zwar deshalb, weil ich dort nicht bloß eine Katze betrachtete, sondern fünfzig Katzen, eine ganze Katzenherde, das große Katzenbassin rings um die Trajan-Säule. Dort ist das alte Forum wie eine Zisterne inmitten des Stadtplatzes ausgegraben; und auf dem Grunde dieser trockenen Zisterne zwischen geborstenen Säulen und Statuen lebt das unabhängige Katzenvolk; es nährt sich von Fischköpfen, die ihm gutmütige Italiener hinunterwerfen, huldigt einer Art von Mondkult und tut sonst offenkundig nichts. Dort also wurde es mir offenbar, daß die Katze nicht einfach eine Katze ist, sondern etwas Rätselhaftes und Undurchdringliches; daß die Katze ein wildes Tier ist. Sieht man zwei Dutzend Katzen schreiten, so überrascht einen plötzlich die Erkenntnis, daß die Katze überhaupt nicht schreitet, sondern daß sie schleicht. Eine Katze unter Menschen ist nur eine Katze; eine Katze unter Katzen ist ein schleichender Schatten im Dschungel. Die Katze vertraut dem Menschen offenbar; aber der Katze mißtraut sie, weil sie sie besser kennt als wir. Man pflegt zu sagen »Hund und Katze« als Typus gesellschaftlichen Mißtrauens; aber ich habe oftmals sehr intime Freundschaften von Hund und Katze gesehen, nie aber habe ich eine intime Freundschaft zweier Katzen beobachtet, sofern wir allerdings nicht von Katzenliebeleien reden. Die Katzen auf dem Trajansforum ignorieren einander ganz offenkundig; sitzen sie auf derselben Säule, so sitzen sie mit dem Rücken zueinander und zucken

nervös mit den Schwänzen, um zu verstehen zu geben, daß sie die Gegenwart jener Schlampe dahinten mit Mißbehagen hinnehmen. Schaut eine Katze die andere an, so zischt sie; begegnen sie einander, so schauen sie sich nicht um; niemals haben sie ein gemeinsames Ziel; niemals haben sie einander etwas zu sagen. Bestenfalls vertragen sie sich unter verächtlichem und ablehnendem Schweigen.

Aber mit dir, Menschenkind, redet die Katze; sie schnurrt dich an, blickt dir in die Augen und sagt: öffne mir, Mensch, diese Tür da, gib mir, Vielfraß, von deiner Nahrung; streichle mich; sag etwas; laß mich auf meinen Lehnstuhl. Dir gegenüber ist sie kein wilder, einsiedlerischer Schatten; für dich ist sie einfach eine Haus-Mieze, weil sie dir vertraut. Ein wildes Tier ist ein Tier, das mißtraut. Die Domestikation ist einfach ein Vertrauensverhältnis.

Nun, lieber Mensch, wir Menschen sind ja auch nur soweit nicht wild, als wir einander vertrauen. Angenommen, ich mißtraute, wenn ich das Haus verlasse, dem ersten Gevatter, dem ich begegne, so würde ich beim Näherkommen dumpf brüllen und im Gehen die Schenkel straffen, um ihm beim ersten Wimperzucken an die Gurgel zu springen. Wenn ich den Leuten, mit denen ich in der Straßenbahn fahre, mißtraute, so müßte ich mich mit dem Rücken zur Wand drehen und prusten, um sie einzuschüchtern; statt dessen hänge ich ruhig am Lederhänger und lese die Zeitung, indem ich meinen ungedeckten Rücken preisgebe. Gehe ich auf der Straße, so denke ich an meine Arbeit oder an nichts, ohne in Erwägung zu ziehen, was mir die Vorübergehenden antun könnten; es wäre schrecklich, wenn ich sie argwöhnisch beobachten müßte, ob sie sich rüsten, mich aufzufressen. Der Zustand des Mißtrauens ist der Urzustand der Wildheit; Mißtrauen ist das Gesetz des Dschungels. Politik, die von der Züchtung des Mißtrauens lebt, ist eine Politik der Wildnis. Eine Katze, die dem Menschen mißtraut, sieht in ihm nicht den Menschen, sondern ein wildes Tier; ein Mensch, der dem Menschen mißtraut, sieht in ihm gleichfalls ein wildes Tier. Das Band wechselseitigen Vertrauens ist älter als alle Zivilisation und Kultur; es ist auch wichtiger. Man kann die Zivilisation zerstören, und die Menschheit wird Menschheit bleiben; zerstört man jedoch den Zustand des Vertrauens, so wird die Menschwelt sich in eine Raubtierwelt verwandeln.

Ihr sollt wissen, jetzt gehe ich meine Mieze streicheln; sie gewährt mir großen Trost, denn sie vertraut mir, mag sie auch nur ein kleines graues Tier sein, das aus Gott weiß welchen unbekannten Wildnissen der Prager Höfe sich zu mir verirrt hat. Sie schnurrt und schaut mich an. »Mensch«, sagt sie, »reib' mich mal zwischen den Ohren.«

Die Rakete und der Kater

KURT TUCHOLSKY

Hui! Die Rakete stieg. Sie fauchte
am Dach vorbei und höher. Glühend jung.
Bis sie in wundervollem Linienschwung
in ferne, dunkle Abendwolken tauchte.
Auf jenem Dache saß ein schwarzer Kater.
Der sah die schöne Linie, und was tat er?
Zunächst: er fauchte ebenfalls.
Dann drehte er sich, reckte seinen Hals.
dann krümmte er den Buckel, hob ein Ohr
und streckte seinen Schweif graziös empor,
um jene schöne Linie nachzumachen.
Doch die Rakete oben barst vor Lachen.
Da warf sich unser schwarzer Kater
wild auf den Rücken, Und was tat er?
Was tat er außer sich vor Wut?
Nun, was man sonst gewöhnlich nicht
gerade auf dem Rücken tut.
Er tat es kräftig, tat es reichlich, gut;
er hatte kurz zuvor zu Haus
zwei Babyflaschen ausgesogen.
Doch jenen herrlichen Raketenbogen –
nein, nein, den kriegte er nicht raus.

Die Sphinx

OSCAR WILDE

In einer Zimmerecke wacht,
schon länger, als ich denken kann,
Die schöne Sphinx und schweigt mich an
im Wechselspiel von Tag und Nacht.

Ganz ungerührt und unbewegt
verharrt die finstere Gestalt.

Der Silbermond, der lässt sie kalt,
selbst Sonnenschein sie nicht erregt.

Der Himmel rötet sich und bleicht,
die Flut des Mondlichts steigt und sinkt.

Der Dämmerung es nicht gelingt
und auch der Nacht nicht, dass sie weicht.

Die Zeit verrinnt, Nacht folgt auf Nacht,
und immer noch die Katze träumt;

Mit sanften Augen, goldgesäumt,
hält sie auf ihrem Teppich Wacht.

Sie ruht, ihr Katzenauge starr,
und zu den spitzen Ohren drängt

Das Nackenhaar, mit gelb gesprengt;
das braune Fell ist seidenzart...

Mein träger Liebling, komm heran,
und leg' den Kopf mir in den Schoß,

Damit ich dir den Nacken kos'
und deinen Samtleib streicheln kann...

Die vielen Katzen, welche um mich sind

MAX HERRMANN-NEISSE

Die vielen Katzen, welche um mich sind
Die wie versonnen in den Räumen schreiten,
Durch deren Fell oft meine Finger gleiten,
Sind lieber mir als Schwester, Freunde, Kind!
In ihren Augen liegt ein Fragen fremd,
Ein staunendes Nichtkennen, Nichtgekanntsein,
Ein trauriges, vereinsamtes Verbanntsein,
Ein wehes Wundern, dass ihr nicht vernehmt...
Und so versuchen immer wieder weich
Sie eure Seele in geheimem Singen
Ihr aber tut mit ihnen wie mit Dingen,
Und eure Welt ist fern von ihrem Reich!

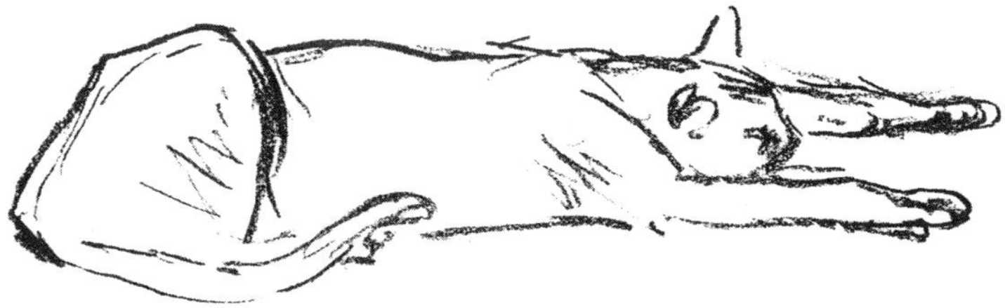

St.

Die Brust der Natur

VICTOR AUBURTIN

Seit drei Jahren und vier Monaten sprachen wir am Schriftstellertisch im Café Westminster vom Theater. Könige starben, Prinzessinnen ließen sich scheiden, Völker vergingen, wir am Schriftstellertisch im Café Westminster redeten vom Theater und von nichts anderem.

Da machte der Dr. Kornhaisl, der Älteste unter uns, den Vorschlag, es solle ein Tag in der Woche festgesetzt werden, an dem nicht vom Theater gesprochen werden dürfe. Für diesen Tag solle ein gemeinsames Thema bestimmt werden, und niemand dürfe über etwas anderes reden als über dieses Thema ganz allein. Und zwar, so führte der Dr. Kornhaisl weiter aus, sei es vielleicht das Beste, zum gemeinsamen Diskutierthema einen Gegenstand aus der Naturgeschichte zu wählen; also zum Beispiel Pilzkunde oder so etwas. Das wäre einmal etwas anderes, eine Erholung gewissermaßen, und sicherlich täte uns allen eine periodische Rückkehr an die Brust der Natur dringend not.

Der Vorschlag wurde angenommen und der nächste Mittwoch als der erste theaterfreie Naturabend festgesetzt.

Am nächsten Mittwoch fehlte von uns fast die Hälfte. Für gewöhnlich waren wir am Schriftstellertisch im Café Westminster so ungefähr fünfundzwanzig. Zwölf davon hatten es nicht für empfehlenswert gefunden, zu einem Abend zu kommen, an dem nicht vom Theater, sondern nur über die Natur gesprochen werden sollte, und waren zu Hause geblieben. Die anderen setzten sich an die bekannten Marmortische neben der Wasserheizung und sahen sich erwartungsvoll an.

»Über was reden wir denn nun eigentlich?« fragte der Dr. Kornhaisl. Ein langes gedankenvolles Schweigen folgte. Dann erhob der Dr. Swoboda einen Finger und sagte: »Reden wir einmal über Katzen.«

»Ein ganz interessanter Gegenstand«, meinte der Dr. Kornhaisl. »Auf jeden Fall«, sagte der Dr. Swoboda, »läßt sich nicht bestreiten, daß die Katzen zur Brust der Natur gehören.«

Daraufhin wurde der Vorschlag, über Katzen zu sprechen, mit zehn gegen zwei Stimmen, die des Dr. Wurmsdorffer und des Dr. Haferl, angenommen. Diese zwei Gegenstimmenden entfernten sich mit der Bemerkung, sie seien nicht gesonnen, eine solche Trottelei mitzumachen.

»Also«, sagte Dr. Kornhaisl, »wer etwas Merkwürdiges oder Neues oder Sonderbares über Katzen mitteilen kann, der fange an.«

Wir alle dachten sieben Minuten lang scharf nach, dann sagte der Dr. Olivenbaum: »Ich weiß etwas über Katzen«, und er begann: »Sie kennen doch gewiß alle die Mathilde Lejo, die sentimentale Liebhaberin vom Karl-Theater in Wien.«

Der Dr. Swoboda warf dazwischen: »Es sollte doch wohl heute über Katzen geredet werden, und ausnahmsweise einmal nicht über sentimentale Liebhaberinnen.«

»Ich rede über Katzen«, antwortete der Dr. Olivenbaum gereizt. »Lassen Sie mich meine Idee nur entfalten. Also, als ich damals in Wien war, kannte ich die Mathilde Lejo vom Karl-Theater sehr gut. Sie war eine ernste, stille Person, die ein zurückgezogenes Leben führte und in Sachen der Sittlichkeit sehr streng dachte. Und diese Mathilde Lejo nun, und das ist der Punkt, auf den ich kommen wollte, besaß eine blaue Katze.

Daß es blaue Katzen gibt, muß jedem bekannt sein, der sich mit der Naturkunde auch nur oberflächlich beschäftigt hat. Blaue Katzen werden besonders in England gezüchtet, wo sie den wissenschaftlichen Namen the *blue Cat of Thorpe* führen, und auf den Auktionen werden ganz enorme Preise dafür bezahlt. Mathilde also besaß eine solche Katze, die himmelblau war wie ein Maimorgen, und sie liebte dieses Tier äußerst. Die himmelblaue Katze schlief in ihrem Bett, wurde jeden Morgen massiert und mit Bayrum eingerieben und bekam zu ihrem Mittagessen stets einen Zander mit Kräuterbutter. Aber da geschah es eines Tages, daß der Fischhändler eine Verwechslung beging und statt des Zanders einen Hecht brachte; und weil die blaue Katze an diese Fischsorte nicht gewöhnt war, verschluckte sie eine Gräte und starb nach kurzem, aber qualvollem Leiden.

Mathilde war untröstlich. Als ich ihr meinen Kondolenzbesuch machte, warf sie sich mir schluchzend in die Arme und sagte: Olivenbaum, nachdem die blaue Katze tot ist, bist du mein einziges Glück auf dieser Welt. Ich liebe dich heiß; und deshalb bitte ich dich, schenke mir zu meinem nächsten Geburtstage eine neue blaue Katze, weil ich ohne blaue Katzen nicht leben kann. Und wenn du das tust, werde ich dir mit Leib und Seele angehören und dir keinen Wunsch versagen.

Bis zu Mathildens Geburtstag hatte ich noch acht Wochen, und in dieser Zeit habe ich nun in ganz Wien nach einer blauen Katze gesucht. Aber ich muß sagen, daß dieses keine leichte Aufgabe gewesen ist. In den Katzengeschäften waren alle, selbst die kostbarsten Arten zu haben, Zibetkatzen, Riesenangoras, persische Rauchkatzen, auch die ungeheuer seltenen schwanzlosen Katzen von der Insel Man; nur eben keine blauen Katzen.

Die Händler hatten entweder niemals blaue Katzen gehabt, oder sie hatten ihr letztes Exemplar gerade eben verkauft. Ich

telegraphierte an Hagenbeck in Hamburg, und der schickte mir seine Preisliste ein; aber in diesem Katalog waren Nasenbären, Giraffen und Nilpferde verzeichnet, nur keine blauen Katzen.

Dann ging ich in die Expedition des »Neuen Wiener Tageblattes« und wollte eine Annonce aufgeben: Gesucht blaue Katze zu höchsten Preisen. Aber der Herr am Schalter gab mir mein Inserat zurück und sagte: Wir sind ein seriöses Blatt und nehmen Annoncen perversen Inhalts grundsätzlich nicht an; was Sie unter blauer Katze verstehen, das wissen wir schon.

So wollte ich eben verzweifeln, als es mir durch die Vermittlung des Detektivbureaus Falke gelang, mit der Witwe eines Obersten in Verbindung zu treten, die eine Katze von kornblumenartiger Bläue besaß. Die Katze war der Dame ans Herz gewachsen und kostete 7500 Kronen. Aber für meine schöne, stille Mathilde war mir nichts zu teuer, und ich kaufte das Exemplar glatt.

Am Geburtstag steckte ich die Katze in eine Tüte und eilte hochbeglückt in Mathildens Wohnung. Aber als ich ihren

Salon betrat, saß Mathilde sanft lächelnd in einem Lehnstuhl, umgeben von einundzwanzig blauen Katzen, die im Zimmer herumspazierten und sich gegenseitig berochen.

Ich begriff die Lage sofort. Ernst holte ich meine Katze aus der Tüte und sagte: Madame, sofern ich richtig zähle, befinden sich in diesem Zimmer einundzwanzig blaue Katzen. Wenn Sie für jede dieser blauen Katzen dasselbe Versprechen gegeben haben wie mir, werden Sie heute einundzwanzigmal Ihren Leib und Ihre Seele hingeben und einundzwanzigmal keinen Wunsch versagen. Für das zweiundzwanzigste Mal, das auf mich fallen würde, danke ich bestens.

Damit warf ich ihr meine Katze vor die Füße und entfernte mich kalt.«

Als der Dr. Olivenbaum seine Erzählung beendet hatte, riefen zwei von uns, der Dr. Böhm und der Dr. Frobenius, den Oberkellner, bezahlten ihr Pilsener Bier und entfernten sich mit Eile. Wir konnten bemerken, wie sie beim Weggehen die Achseln zuckten und mit den Fingern an die Stirn tippten, woraus wir schlossen, daß sie mit dem Verlauf der heutigen Abendunterhaltung nicht ganz einverstanden seien.

Wir anderen führten das Thema weiter aus, doch nahm die Unterhaltung jetzt mehr einen allgemeinen Charakter an. Die ewige Frage, ob die Katze oder der Hund vorzuziehen sei, wurde durchgesprochen und gab Anlaß zu sehr stürmischen Debatten. Die Mehrzahl sprach sich für den Hund aus, ich selbst ergriff lebhaft die Partei der Katze. Es sei nicht wahr, daß die Katze falsch sei, wie die alte Fabel behaupte. Kein Tier, auch die Schlange nicht, sei mit Berechnung falsch; jedes Wesen tue einfach und geradeaus nur eben das, was ihm der Schöpfer vorschrieb und was sein handfester Vorteil sei. Falschheit hingegen, Winkelzug und Diplomatie seien Eigenschaften jenes widerlichen Lebewesens Mensch, das sich in unbegreiflicher Verblendung das Ebenbild Gottes nenne, und das doch nichts anderes sei als ein entarteter Affe. Die Katze sei schon deshalb achtbar, weil sie sich nicht vom Menschen dressieren lasse und zu Kunststücken hergebe, während hingegen der Hund die Peitsche im Maule trage und damit den Rekord der Schande im Bereich der ganzen Schöpfung halte. Auch sei es durchaus falsch, so fügte ich abschließend hinzu, daß die Katze mehr am Ort als am Menschen hänge, wie vom oberflächlichen Beobachter leider so oft erzählt worden sei.

Als ich meine Rede beendet hatte, wandte sich ein älterer Herr, der am Nebentische saß, an uns und sagte: »Entschuldigen Sie, meine Herren, daß ich mich in Ihre Unterhaltung mische. Ich könnte zu Ihrem Thema eine sehr interessante Tatsache mitteilen, wenn Sie mir erlauben würden.«

Keiner von uns kannte den Herrn. Es war ein großer, stattlicher Mann, der einen ungewöhnlich englischen Anzug trug und weitgereist aussah, etwa wie ein Kautschukpflanzer oder so etwas Ähnliches. Auf jeden Fall sah der Herr nicht aus wie ein deutscher Schriftsteller, und deshalb gefiel er uns allen sehr. Er setzte sich an unseren Tisch und begann:

»Ich werde Ihnen eine merkwürdige Geschichte erzählen, aus der mit Klarheit hervorgeht, daß die Katzen mehr Anhänglichkeit an den Ort als an den Menschen haben. Vor ungefähr zwanzig Jahren betrieb ich eine Farm im Innern der nordamerikanischen Union im Staate Kansas. Das ist eine einsame Gegend, in der hauptsächlich Viehzucht, auch etwas Obstbau betrieben wird. Mein nächster Nachbar war ein junger Farmer mit Namen Buller, der zusammen mit seiner Frau und seiner dreiundsiebzigjährigen Mutter lebte, sehr ruhige und anständige Leute.

Die Bullers nun besaßen einen alten schwarzen Kater, der den Namen Cleveland führte und der nur drei Beine hatte; sein viertes Bein, und zwar das rechte Hinterbein, war ihm nämlich in seiner Jugendzeit von einem Liebesrivalen abgebissen worden. Trotz dieses Gebrechens konnte der Kater Cleveland sich noch ganz gut bewegen, wobei er allerdings sichtlich humpelte. Doch war er seiner ganzen Gemütsver-

fassung nach mehr eine phlegmatische Natur und liebte es, den ganzen Tag auf einem braunen Samtsessel neben dem Kamin zu sitzen.

Mit dieser Familie Buller ereignete sich nun in einem Hochsommer etwas Neues. Am Tage vor Johannis wollte die alte Frau Buller Kirschkuchen backen. Da sie aber nicht genug Kirschen zu Hause hatte, nahm sie einen Korb und ging in den zwei Meilen entfernten Obstgarten des Pfarrers, um dort Kirschen zu stehlen. Denn sie war trotz ihrer dreiundsiebzig Jahre noch eine sehr taugliche Person; auch nahm sie an, daß der Pfarrer um diese Zeit in der Kirche beim Konfirmandenunterricht sei. Als sie in dem Garten des Pfarrers angekommen war, kletterte sie in einen Baum und begann, Kirschen zu pflücken und in ihren Korb zu sammeln. Aber das Unglück wollte, daß der Pfarrer nicht in der Kirche war, sondern in seinem Studierzimmer am offenen Fenster saß und die Predigt ausarbeitete. Und wie er nun die alte Frau Buller in dem Kirschbaum sitzen sah, nahm er seine Büchse her und schoß sie herunter wie einen Spatz. Wie man so einen Spatzen oder eine alte Krähe herunterschießt.

Schön. Bis hierher ist an meiner Erzählung nichts besonders Auffälliges, nicht wahr, meine Herren. Nun müssen Sie aber wissen, daß die alte Frau Buller von Geburt eine Deutsche gewesen war und daß sie in Deutschland, und zwar im Brombergischen, ein Gut besaß. Dieses Gut erbten nach ihrem plötzlichen Tode die jungen Bullers, und weil sie von Deutschland und besonders vom Brombergischen eine vielleicht übertrieben günstige Meinung hatten, beschlossen sie, die amerikanische Landwirtschaft aufzugeben und nach Europa zu übersiedeln. Sie verkauften mir ihre Farm mit Haus und Mobiliar und packten ihre notwendigsten Sachen zusammen. Den dreibeinigen Kater Cleveland steckten sie in eine alte Biskuitkiste, und so sind sie eines Morgens nach Osten abgezogen.

Ich hatte auf meiner neuen Farm viel zu tun, legte Spalierobst an und entwässerte die große Wiese, und darüber dachte ich nicht mehr viel an die Bullers und ihren Kater.

Über ein Jahr verging. An einem stürmischen Januarmorgen saß ich im früheren Hause der Bullers am Kamin, rauchte meine Pfeife und sah in das Schneetreiben hinaus. Da bemerkte ich plötzlich, daß den Weg vom Mühlhügel herunter etwas Dreibeiniges gehumpelt kam. Ich bin ein ziemlich aufgeweckter Bursche, und deshalb war mein erster Gedanke: oho, was ist denn dieses? Aber noch bevor ich diesen

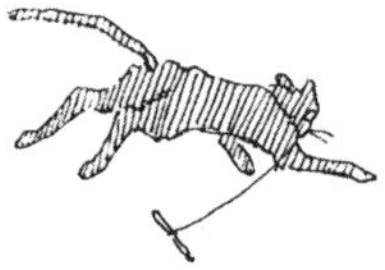

Gedanken weiter ausspannen konnte, wurde die Tür, die nur angelehnt war, aufgestoßen, der Kater Cleveland trat ein, ging stracks auf seinen Samtsessel, sprang hinauf und machte es sich bequem, als sei nichts passiert. Er war seinem Herrn entlaufen und von Bromberg nach Kansas, U.S.A. zurückgekehrt, und das, meine Herren, scheint mir doch ein einwandfreier Beweis für die Behauptung, daß die Katzen mehr am Orte hängen als an den Menschen.«

Wir hatten die Erzählung mit eisigem Schweigen angehört. Nach einer Weile fragte der Dr. Kornhaisl: »Glauben Sie, daß er durch den Atlantischen Ozean geschwommen ist?«

Der fremde Herr zuckte nicht mit der Wimper und antwortete: »Das war auch mein erster und der allerdings nächstliegende Gedanke. Aber ich habe ihn aufgegeben, denn es ist doch äußerst unwahrscheinlich, daß ein Kater durch den ganzen Atlantischen Ozean geschwommen sein sollte. Außerdem hätten sich in diesem Fall Tang und Seepocken an ihn setzen müssen, er war aber ganz sauber. So bleibt nur die

eine Erklärung übrig: er hat den anderen Weg um die Erde genommen. Von Bromberg ist er ostwärts aufgebrochen, hat die russische Grenze passiert, Rußland, Sibirien durchquert, die Beringstraße überschwommen, dann durch Alaska, Kanada, die gelben Berge, Nebraska, bis auf seinen braunen Sessel, an den er nun einmal gewöhnt war.«

Jetzt brachen wir alle auf, und zwar in sehr tumultuarischer Weise, bezahlten unser Bier und verließen stürmisch das Lokal. Draußen stellte sich der Dr. Swoboda mitten unter uns auf, rollte die Augen und rief mit Schaum vor dem Munde: »Wer mir noch einmal mit der Brust der Natur kommt...«

THÉOPHILE-ALEXANDRE STEINLEN

Théophile Alexandre Steinlen wird 1859 in Lausanne geboren. Er studiert zunächst Literatur an der Akademie von Lausanne und macht nach seinem Studium ein Praktikum bei einem Textildrucker in Mulhouse. 1878 siedelt er nach Paris über und bestreitet zunächst seinen Lebensunterhalt als technischer Zeichner. 1883 zieht er in das Künstlerviertel am Montmartre und begegnet dort Künstlern wie Toulouse-Lautrec, Aristide Bruant, Felix Vallaton und Alphone Allais und freundet sich mit ihnen an. Er arbeitet als Zeichner und Illustrator für die Zeitungen »Le Chat Noir« und »Le Mirliton«. Seine erste Ausstellung findet 1884 an der La Bodinière statt, und 1885 entsteht das erste seiner berühmten Plakate: ein Plakat für das Hotel de Paris in Trouville sur Mer. Es folgen Plakate für La Compagnie francaise, das Cabarét Le Chat Noir und viele andere. Zusammen mit Forain und Léandre gründet Théophile-Alexandre Steinlen 1911 das Blatt »Les Humoristes« und arbeitet als Buchillustrator. Steinlen stellt seine Werke von nun an im Salon des Indépendants und ab 1893 regelmäßig im Salon des Humoristes aus. 1923 stirbt Théophile-Alexandre Steinlen in Paris.

ISBN 978-3-945330-29-6

1. AUFLAGE 2017

GENEHMIGTE SONDERAUSGABE FÜR FRÖLICH & KAUFMANN VERLAG U. VERSAND GMBH
WWW.FROELICHUNDKAUFMANN.DE

TEXTAUSWAHL: PETER GRAF

GESAMTGESTALTUNG: 2XGOLDSTEIN+FRONCZEK

DRUCK UND BINDUNG: CPI BOOKS GMBH, EBNER & SPIEGEL ULM

WWW.WALDE-GRAF.DE